麒麟传媒·尚書房 出品
www.qlpress.cn

生活·认知·成长
青春励志故事

生活·认知·成长
青春励志故事

等待被雨洗过的天空

风尚卷

杨晓敏◎主编

地震出版社

图书在版编目（CIP）数据

等待被雨洗过的天空 ：风尚卷 / 杨晓敏主编 . —北京：
地震出版社，2012. 3
（生活 · 认知 · 成长青春励志故事）
ISBN 978-7-5028-4021-1

Ⅰ. ①等…　Ⅱ. ①杨…　Ⅲ. ①短篇小说—小说集—中国—当代
Ⅳ. ①I247. 7

中国版本图书馆 CIP 数据核字（2012）第 023908 号

地震版　XM2617

等待被雨洗过的天空——风尚卷
主　　编：杨晓敏
执行主编：马国兴　王彦艳
责任编辑：范静泊
责任校对：孔景宽　凌　樱

出版发行：地 震 出 版 社
北京民族学院南路 9 号　　　邮编：100081
发行部：68423031　68467993　　传真：88421706
门市部：68467991　　传真：68467991
总编室：68462709　68721982　　传真：68455221
E-mail：seis@ mailbox. rol. cn. net
http：//www. dzpress. com. cn
经销：全国各地新华书店
印刷：北京振兴源印务有限公司

版（印）次：2012 年 4 月第一版　2012 年 4 月第一次印刷
开本：710 × 1000　1/16
字数：194 千字
印张：14
书号：ISBN 978-7-5028-4021-1/I（4696）
定价：26. 00 元

序

杨晓敏

好书是具有生命力的。一本好书，我们拿在手上，揣在兜里，或者放在枕边，会感觉到它和我们的心一起跳动。在日常的学习生活中，我们每天都在用最经济的时间、精力和财力，收获着超值的知识、学问和智慧，于是我们自己，就在一天天地充实厚重起来。

优秀的短篇小说，就是这样的好书。它是顺应现代人繁忙生活而发展成的一种篇幅短小的小说。跟一般小说一样重视场景、个人形象、人物心理、叙事节奏。优秀的作者可写出转折虽少却意境深远，或转折虽多却清新动人的作品。

现在，许多优秀的作者舒展超感的心灵触觉，用生花的妙笔，把小小说从文学神坛上牵引下来，在我们广大读者面前，展现出一幅幅五颜六色的生活画卷，或曲折离奇，或险象环生，或嬉笑怒骂，或幽默诙谐。于是，阅读一本小小说，就成了繁忙生活的轻松点缀，紧张学习的有效调剂，抹平了你我微皱的眉头，漾起了会心一笑的嘴角。

我们精心编选的这套“生活·认知·成长青春励志故事”小小说丛书，每一辑都包含了“悟性”“创意”“想象”“品味”“风尚”“情愫”六卷，并围绕这六个主题，选取当代国内知名作家的精品力作，各自汇编成书，具有强劲的文学感染力。篇篇都耐人寻味，本本都精挑细选，既是青少年认识社会的窗口、丰富阅历的捷径，又堪称写作素材的宝典。作品遴选在注重情节奇巧跌宕，阅读效果峰回路转、柳暗花明的同时，注重价值取向，旨在引导青少年全面、客观地认识社会，开阔视野和胸怀，提高综合素质，进而确立正确的人生观、价值观。

在这套书里，我们推荐给青少年读者的是充满活力的大众文化形态的小小说佳品荟萃。所选择的作品，尽量体现质朴单纯，而质朴不是粗硬，单纯不是单薄；体现简洁明朗，而简洁不是简单，明朗不是直白。它们是理性思维与艺术趣味的有机融合，是人类智慧结晶的灵光闪烁，是春风化雨滋润心灵的真情倾诉，是鲜活知识枝头的摇曳多姿，是青少年读者嗅得着的缕缕墨香。

知识没有界线，可以人类共享，只要是具有优良质地的文化产品，都能互补、渗透、影响和给人以启迪。任何一粒精壮的知识种子，播撒在人们的心灵深处，都会开出艳丽的花朵，结成高尚的果实。

青年出版家尚振山先生以极大的热情，独到的眼光，精心策划了这一套“生活·认知·成长青春励志故事”丛书，我和同仁马国兴先生、王彦艳女士应邀参与编纂，当然也愿意大力推荐给广大青少年朋友们。

2012 年春

等待被雨洗过的天空

contents

目录

晒太阳的鱼

〇龚宝珠

我是一条鱼，一条喜欢晒太阳的鱼。

当然，这只是我QQ上的签名。我可能叫张三，也可能叫李四，这并不重要。事实上，我是一个小有名气的作家。曾经，我是不用QQ的。我固执地认为，QQ就是一种浪费时间的聊天工具，写作是没有太多时间可以去挥霍的。

那个春天，我的写作陷入了低谷，心情很苦闷。一个阳光很好的下午，我破例在网上申请了一个QQ号，随意取了一个糟糕的名字：晒太阳的鱼。

更糟糕的是我这条鱼居然陷入了情网，被一只猫咬得遍体鳞伤。

对，你猜对了，这只猫是在网上认识的，她的QQ名字叫“小肥猫”。

以前，我常去一些文学论坛，看看文章发表的信息和好朋友的新作品，翻翻别人回复我文章的跟帖。申请了QQ以后，我索性把号码放在了论坛的签名里，论坛头像也由卡通图片换成了自己的照片。

照片换了没多久，“小肥猫”就被引来了。确切地说，她先是对我的照片感兴趣的。小肥猫在论坛给我留言说，帅哥，你加我的QQ，好吗？

无聊。我对这只主动出击的猫说，我讨厌猫，尤其是小肥猫。

我的态度很明确，有点拒人于千里之外的意思。其实，这不过是我的欲擒故纵而已。我需要找人聊天，至少是在心情苦闷的时候。但，我不知道她是不是我要找的人。

拒绝了两次，小肥猫居然找到了我的博客，在每篇文章的下面发表一些评论，评论得还挺有水准。这一招很有效，我没想到她竟然能写出如此贴切的评论，至少她读懂了我的文字。

加了小肥猫的 QQ，资料显示她跟我在同一个城市。小肥猫的第一句话就是，我吃过很多鱼，不知道还有一条漏网之鱼——晒太阳的鱼。我漫不经心地回复说，晒太阳的鱼是很糟糕的，叫这个名字的人也是很糟糕的。信息刚发出，我就下线了。我知道，她还会找我。

小肥猫似乎察觉到了我的冷淡，在我的 QQ 邮箱里发了一张照片，留言也很简单：别怕，小肥猫不一定就是小肥猫，也未必吃一条干鱼。是的，小肥猫不一定就是小肥猫，照片上的她确实长得清丽脱俗，眼神中流露出一种淡淡的忧伤，看上去气质也不错。

我还是没有过多的热情，因为我的文字一直没有流泻出来。小肥猫陆续发来几篇小小说，说是请鱼儿老师多指教。事实上，她的小小说写得很有灵气，我没有拒绝她的文字，就或多或少地提一些建议。

小肥猫的悟性极好，文章进步很快，而且善解人意。我开始和她在 QQ 上进行一些深层次的交流，话题也逐步多了起来。几番“交锋”下来，我无法拒绝她的似水柔情，狼狈地败下阵来。

不久，我恋上了小肥猫。其实跟大多数网恋一样，聊天的话题转移了方向，聊天的内容也剥离了文学的语言，一切都俗得不能再俗。

我们见面了，该做的做了，不该做的也做了。婉约动人的小肥猫躺在床上，如一泓清凉的泉水。后来她醒了，眼神有些迷离，似乎罩着一层薄雾。她说，我们该走了。走，去哪里？我迷惑不解。

她努力睁大眼睛，认真地看着我说，你继续去晒太阳，我该回家了，就这样吧。我没有说话，蜷缩在床边，狠命地抽烟。良久，她抬手抚摸着我的额头，发出一声轻微的叹息，背起包准备出门。我拉着她的手说，以后还能见到你吗？她转过身，轻轻地吻了我的脸颊说，谢谢你，再见。

回到网上，我疯狂地发了无数条信息，小肥猫就回复了一句：谢谢，我不能。不能什么？她没有说，我也想象不到。后来的日子，我再也没有见过小肥猫，她的 QQ 一直是冰冷的灰色。

小肥猫在网络里蒸发了，我注销了自己的 QQ——晒太阳的鱼。

夏天刚刚开始，故事就已经结束了。我无法判断小肥猫是不是在游戏，也无法捕捉到她的内心世界，甚至在我的小说里，最后的结尾也只能是留白。

需要补充的是：某省级刊物关于网络爱情的小说征文结果公布了，我的作品获得了唯一的一等奖。

这个夏天，阳光依旧很毒。我像一条暴晒在阳光下的鱼，穿梭在人流拥挤的街道上。

季师傅

〇程宪涛

季师傅是厂里的一面旗。汽机检修技术无人能敌。季师傅十年前就能出去，走出偏僻的清河沟儿，到沿海城市去生活。

十年前，南方电厂汽机出现问题，几家检修公司无能为力，找到东北一家电厂。南方厂领导非常重视，派大巴去机场接人，厂领导一行恭候迎接。一个四十多岁的男人，瘦削单薄的样子，着蓝白色的工作服，胸前别着一枚厂徽，孤单单走下车，眯着眼睛迎着南方的阳光，没有对向日葵样的脸们灿烂。厂领导向后面张望没有人了，询问去接机的人有关情况。说东北厂就派了这个人来，姓季，自称季师傅。南方厂领导说先吃饭。季师傅说先到现场吧。

一行人到了汽机现场，汽机本体被拆卸开，就像被肢解的巨兽，没有了往昔的动感欢畅。季师傅围着转了三圈，抚摩着冰冷的设备，就像抚慰酣睡的婴儿。季师傅冲南方厂领导道，留下十名检修工，你们回去歇吧。厂领导们半信半疑离开。三天后，该厂一次性起机成功。那日，季师傅在水池边洗手，他改变命运的机会来了。他身后站着南方厂厂长。厂长操着广东话直接问：季师傅今年多大？季师傅侧着耳朵问道，你说啥？厂长微笑着重复一遍。听得懂的人在旁解释。季师傅转头面向翻译人，道，三十一岁。厂长叹道，这么年轻。你厂月工资不足一千吧，来我厂一个月一万元。当时是不可想象的数字。季师傅对翻译说谢谢心意。厂长派人力资源部经理游说，薪水涨了两千依然拒绝。南方厂厂长山穷水尽了，问，你们厂有多少像你这样人才。季师傅道，老鼻子了。厂长问，何谓老鼻子了？旁边人笑说很多的意思。厂长说，能说出名姓来吗？季师傅想想，道，比如我师弟小李。厂长追问比你如何？季师傅道一个顶俺俩。厂长对季师傅愈加敬重，答谢晚宴的时候，连续喝了三杯五粮液，说认识季师傅三生有幸。

小李不久去了南方电厂。五年后东北厂成立十周年，邀请各界人士参加庆典。众目睽睽中小李走下主席台，一直奔到黑压压的职工座位，拉着季师傅的手摇着说，师兄吧，俺是小李子，没有师兄推荐哪有俺今天。小李已经是南方厂副总了。这件事当时引起很大轰动。终于有人恍然大悟道，季师傅用的调虎离山之计。小李和季师傅喜欢同一个姑娘，当时僵持不下，季师傅用名利把情敌勾走了，季师傅成为爱情的胜利者。后来有人感慨万端道，对姑娘不知是幸，还是不幸呢。

这样的猜测经不起历史推敲，季师傅婚后几年间，南北方电厂如雨后春笋，待遇薪酬等优于老厂。老厂成本上无法与新建厂竞争。经常有人拿着报纸冲季师傅道，湖南招聘月薪一万五。或者广州招聘年薪十三万。或者天津招用人才啦。三五年的时间里，厂子陆续走了百余员工，归来时都是衣锦还乡模样。季师傅爱人观点早转变了。说不趁着年轻的时候挣钱，还等到什么时候呢？厂子这时让季师傅当了班长，连续几年评为先进工作者。证书都被老婆撕得粉碎。老婆说，你就这么大的能耐了，整日戴着那个破厂徽，出去了也不嫌丢人，还以为你们厂是从前呢，卖菜的忽悠着和你抬价，自以为身价多高呢，只依靠着面子撑着活着。尤其老婆提到小李的成就，季师傅受到很大伤害，但是季师傅依然故我。听不得老婆唠叨，去街边蹲着看下象棋了。

厂子对面成立了一家电厂，对老厂造成重大冲击，几近颠覆老厂的观念。该厂是股份制发电企业，全国招聘成熟技术管理人才。季师傅厂近水楼台先得月。没有等对方提出条件来，很多人摩拳擦掌跃跃欲试，招聘的条件待遇公布出来，果然石破天惊不同凡响。众人对某个职位横竖比较，简直为季师傅量身定做一样。朋友同事在追问季师傅，去吗？季师傅笑笑不予回答。季师傅所在厂真是落伍了。为了一份可观的年薪，很多技术工人档案都不要了，毅然决然辞职而去。

招聘截止最后期限，是季师傅最为痛苦的时刻，四十八岁的季师傅面对抉择，很多人眼睛围着他转动。季师傅没去对方厂应聘，似乎没有任何异常变化。晚上，季师傅朋友请他去酒店吃饭。席间有新厂人力资源部经理。季师傅意识到这是鸿门宴了。对方试探性地切入话题，问季师傅有否加盟意愿。季师傅警觉而生硬地问，给多少钱？中间人暗示不要再谈了，他担心季师傅拂袖而去。人力资源部经理没有回答，他目光柔和地望着季师傅，轻轻道，可以不谈钱吗？这样的回答让季师傅一愣。之后没有涉及任何工作话题，那个夜晚季师傅有些迷醉。

季师傅回到家的时候，老厂的副厂长正在等他。副厂长是企业的老员工，他不住地回首往事，说季师傅本应该得到什么，比如奖金啊地位啊等等，只是近年厂子效益不好，或者某个领导的意见，耽误了季师傅等等等等。季师傅问你想说啥？副厂长只能进入正式话题，说，给季师傅私下透个信息，厂子研究决定给季师傅年薪，并且提拔做分厂副主任。

季师傅钉子一样盯住副厂长，副厂长有些不知所措，季师傅目光里有一种期待，副厂长好像终于读懂了，于是他狠狠心道，每年再涨一万元，或者，两万元行吗？他很快看到季师傅熄灭的眼神。季师傅把目光完全收回来，轻轻摇头道，俺答应人家了，男人的话落地生根！副厂长身边随行的人问道，他们开价很大吧？

季师傅漠然道，他们不谈钱。

抚　摩

○胡　炎

下雪了，天冷。

我站在窗前，往外面看，一片皑皑的白。所有的车都在街上小心翼翼地走，顶盖上蒙着雪，像个老太太。我笑了，好天气，这样的天气病人和伤者会增多，会因大医院的满员而流入我的私立医院。我没理由不高兴。

神经内科的姚大夫进来了，说又一个病人交不起住院费了。我漠然地说，你该知道怎么办。

但是他的儿子很难缠，求得我没法。姚大夫说。

下午就断他的药，对付这种人非得来硬的！

姚大夫走了。我靠在椅背上，眯起眼睛。姚大夫很像我的过去，一把出神入化的手术刀，刀至病除。

下午，一个黑脸大汉闯进了我的办公室。看样子，他来者不善。我处之泰然，习惯了，我早已学会了从容应对。

他说他是那个被强制停药的病人的儿子，叫高大壮。这名字不错，活脱脱就是他形象的概括。

我说，你有什么事？

求求你，院长，不要给俺爹停药！他依旧求。

我当然不想这样，可这里不是慈善堂，没钱我的医院就无法运转。请你理解。我说得坦诚。

俺知道，俺知道。高大壮苦着脸，眼里泪花花的，请你再宽限俺几日，俺去筹钱。

我侧过身，望着窗外。雪依旧飘飘洒洒，似乎北风也起了。真是好天气啊。

对付高大壮这类人，最好的办法就是不理他，任他哭，任他闹。

“扑通”一声，高大壮跪下了。一个大汉猛然跪下了。一个大汉猛然跪下，把地板震得一晃，我瞧着他，那张黑脸上爬满了泪，像头绝望的水牛。

求你，救救俺爹，俺给你磕头。他磕了，很响。

我有些不知所措。我经历过女人下跪的，但像高大壮这样的大汉，会跪，会流泪，会磕头，这是第一次。我犹豫了一会儿，还是横下心，说，拿钱看病，天经地义。都像你这样，我的医院还不要关门了？

高大壮不哭了，黑脸更黑，鬓角一跳一跳的。良久，他红着眼说，俺脸黑，你心黑。你不给俺爹治病，俺也不让你好过。俺这就下去喊，你这不是医院，是黑店，反正没指望了，俺大不了赔上一条命！

救护车的笛声，破雪而入。病人正在增多。这样的好时候，医院不能乱，高大壮绝不可胡来。我考虑着，该不该先稳住他……

这时，门又被推开，进来的是姚大夫。他看着地上的高大壮，喉结滚了一下，对我说，院长，我又给病人恢复用药了。请原谅，我没法面对病人，我是一个医生……

我愣了一下，点点头。我说，你做得对，救死扶伤是我们的天职。高大壮，医院同情你，你也要理解医院，快去筹钱吧。

姚大夫很吃惊，高大壮也很吃惊。末了，高大壮又磕了一个头，随姚大夫下楼了。

黄昏的时候，风刮疯了。雪在空中横着飞，尖利的啸声穿过窗缝，刺进人的耳朵。我下意识地缩了缩脑袋，准备回家。

突然，走廊上响起了惶急的喊声，好像是哪里起火了。我走出屋门，这才知道药品和器具仓库因职工私用火炉和电暖器失火，如不及时控制，一旦借着风势蔓延，后果将不堪设想……

情况危急，我一下子傻了。片刻后，我如梦方醒，赶忙拨打119。然后，疯了似的奔向仓库。那里已经围了很多人，有的用盆，有的用桶，往里面送水，滚滚浓烟从门窗里涌出来，被风扯散。

谁在里面？我问。

不知道。

情况怎样？

基本控制住了。

消防车赶到时，火已经被扑灭了。谢天谢地，我的损失降到了最低限度。这时，里面的人披着一床千疮百孔的被褥走了出来，天哪，是高大壮！

我目瞪口呆。这个给我下跪的人，现在，是我的恩人。

我把高大壮安置在了病房，他的头发已全部烧焦，呼吸道也有轻微灼伤。我抚摩着他粗糙的大手，许久说，你为什么要冒这么大险去救火？

高大壮看着我，憨厚地说，你给俺爹治病，俺感激你。仓库里那些东西，可都是救命的呀……

我落泪了。我知道，我的心正被一只大手抚摩，我感到了柔软和疼痛。

李小球的文盲生活

○崔　立

李小球没想过要成为文盲。

可李小球压根就读不进书。坐在课堂里就像坐在针尖上，全身一阵阵地生疼。趁老师不注意，李小球很轻易就跑出了教室。

外面是一大片碧绿碧绿的草地，李小球快乐地在草地上滚啊爬的。李小球的笑声在草地上回荡着。李小球玩累了，就躺在草地上休息。休息了一会儿，李小球不自觉就睡着了，李小球还做了个梦，梦见自己做了皇帝，李小球命令，取消学校，让孩子们自由玩耍。李小球下完命令，就乐呵乐呵地直想笑，可边笑边觉得身上像针钻样的疼，而且越来越疼。李小球就醒了，醒来后的李小球一下就看到父亲满是怒容地瞪自己，父亲的一只手，正使劲地拧着他的屁股。父亲甩起另一只手，呼啸着扇向李小球。“妈呀——”一巴掌扇过，李小球脸上顿时火辣辣地疼。李小球不由趴在草地上痛哭起来。

父亲还骂，让你逃学，让你不争气。

可打归打，打了一次又一次。李小球就像个顽童似的，前脚说改，后脚又给逃了。上了几年学，除了每年给家里带回几个鸭蛋外，就啥也没有了。

父亲看着没辙了。退学吧。李小球一听退学，乐得蹦了起来。

退了学，就得干农活。

不过乡下活也清闲。别看李小球读书不行，干活可是把好手啊。可农村干活不来钱啊。村里除了李小球外，一个一个的孩子都考了大学。一想到这儿，父亲就叹气。李小球照样整天乐呵呵的。

李小球干到二十岁时，父亲说，小球，乡下地不来钱，要不，你去聊城干干吧。

李小球压根就不想去聊城，可父亲逼着，李小球只好苦着脸上聊城。

进了聊城，转了一圈下来，李小球居然发现自己在这里是个文盲。

在聊城，文盲是找不到活的。

即便是洗碗工、清洁工，或是民工，最低要求也是高中毕业。李小球小学都没上完，啥学历也没有。来城里，就像进了一个陌生的世界。

适逢这几天聊城在搞人口普查，调查到学历时，调查的人很惊异地发现，李小球居然是个文盲。自从八十年前聊城普及义务教育以来，已经扫除了文盲这个问题。而李小球是个意外，一个非常让人震惊的意外。

有一个不意外，那就是李小球来城里待了一星期，啥活也找不到。

李小球巴不得这样呢。回乡下多舒服啊。

李小球在旅馆住完最后一个晚上，第二天一早，李小球收拾了行囊，刚准备出门。门就被敲响了，进来两个西装革履的男人。其中一个自称叫刘总，是这里一个贸易公司的总经理。刘总非常诚恳地要求李小球去他的公司上班，月薪六万……

李小球乐了。

李小球知道，六万不是个小数目啊。

不过，李小球马上又摇头了，李小球说，刘总，我是文盲，啥也不懂……

刘总摆了摆手，满是恭敬地看着李小球说，李先生，您啥也不用懂，只要来我公司上班就行了。

门口有一部豪华商务车，司机打开车门，李小球刚要坐进去。忽然，背后有人在喊，李先生，请等一下啊……

李小球吓了一跳。更让李小球吓一跳的是，居然看到一大群人向他跑来。边跑还有人在喊，李先生，去我公司吧，我给你二十万……

更有人喊，三十万，我给三十万……

喊声不绝于耳。数字在不断上升着。

李小球虽是一个文盲，但数字的大小还能听明白。李小球知道钱是越来越多了。李小球虽然心里满是不解。但李小球还是很高兴。

最后，是一个提出以月薪6543万的跨国公司聘得了李小球，在数十个保镖左右保护下，李小球上了一辆豪华车。

豪华车上正播放着新闻，新闻里正播放着关于聊城发现最后一个文盲，李小球就看到自己居然跑上了电视。电视里接着还说关于文盲的卖点，代言人啥的。李小球听不明白，听不明白李小球就不听。

李小球坐在车里，高兴地想，这6543万好像一个很巨大的数字呢。

边想，李小球边乐啊。无所事事地待了一个月。

到发工资的那天，李小球在房间里数啊，数啊，可越数却越是数不清啊。

更让李小球搞不清楚的是，这数字咋越数越少呢。

这回，李小球乐不起来了。李小球开始犯愁了。

数学家趣事

〇萨　苏

王元买瓜

中关村每到盛夏，82 号楼门口总有个西瓜摊儿，摊主姓魏。

1987 年夏季的一天，我直奔魏老板的瓜摊儿，看见两个熟人也在挑西瓜。谁呢？数学家王元先生和王太太，两位一边挑一边算价钱呢。

魏老板的西瓜卖得好，不免有些作怪，不再称重，卖瓜论大小，大瓜三元一个，小瓜一元一个。

大瓜与小瓜的个头差别不是很大，很多人都拼命往小瓜那边挤。

王太太也往小瓜那边挤，王元先生却说："买那个大的。"

"大的贵两倍呢……"王太太犹豫。

"大的比小的值。"王先生说。

王太太挑了两个大瓜，交了钱，看看别人都在抢小瓜，还是有些犹豫。

王先生笑笑说："你吃瓜吃的是什么？吃的是容积，不是表面积。那小瓜的半径是大瓜的三分之二稍弱，容积可是按三次方算的。小的容积不到大的 30%。当然买大的划算。"

王太太点点头，又摇摇头："你算得不对。那大西瓜皮厚，小西瓜皮还薄呢，算容积，恐怕还是买大的吃亏。”

王先生胸有成竹，点点头道：“嘿嘿，你别忘了那小西瓜的皮是三个瓜的，大西瓜只有一个，哪个皮多，你再算算表面积看。”

王太太说：“头疼，不算了。”两个人抱了西瓜回家，留下魏老板在一旁目瞪口呆。

钟家庆羞于见人

钟家庆研究员和我爹曾是课题搭档。

有一天，我爹所在的数学所分橘子，每人一箱。钟先生带几个学生拉着板车给大伙儿送货，天热，钟先生光着个膀子，只剩一件跨栏背心，他又因为喜欢游泳，全身晒得又黑又红。

他帮着把橘子搬进我家，抓了一个橘子，正用嘴撕扯着橘子皮的时候，一个目光炯炯的小丫头凑上来，问：“大爷，钟家庆老师在这儿吗？”

我爹刚要介绍，又打住了。他虽然迂，但是并不傻，看看钟先生，人晒得像块黑炭，跨栏背心大裤衩子，嘴里撕扯着橘子皮，这是什么形象啊！

钟先生马上接茬：“呣，他不住这院儿啊。”

女生说：“我刚才碰上他的学生，说他在这儿呢。您能帮我看看他在不在这院儿吗？我想见见钟教授，我是从武汉来的。”

“啊……”钟先生也不知道该怎么回答了，他冲我爹一指，说：“哦，我是蹬三轮的，不认识什么钟家庆，你问他吧。”说完，钟先生掉头就跑，把我爹给难住了。

“呣，你找他什么事啊？”

“我想考他的研究生。您认识钟教授吗？”

“呣，认识。你认识他吗？”

“当然啦，您看我这个包。”女生打开包，我爹看到厚厚一本剪报，都是钟先生参加会议、授奖颁奖的报道和照片。照片上的钟先生西装革履，神采奕奕。

我爹就只会“嗯嗯”了。

好歹把小丫头哄走了。我爹和钟先生说了小丫头的事，钟先生跳起来：“不行，我那天那个形象，再怎么见这个学生啊。”我爹说：“要是人家考上了，你能不要?”

钟先生那些日子很苦恼。直到发榜，知道那小丫头的分数不够，才松了口气。

那个小丫头后来多次给钟先生来信，钟先生都非常热情认真地回复，但始终不肯和她见面。

暴雨将至

〇海　飞

暴雨一次次地光临杭州，但是我们不怕。我们完全可以在喝茶的时候，悠闲地看着暴雨在窗外横冲直撞。

我和强巴、玲子坐在武林路的心源茶楼喝茶的时候，就有一场暴雨来临。透过落地玻璃可以看到杭州的一条很女人的街。这是一条时装街，所以也被叫成了女装街。女装街令我的目光变得无比愉悦，我们经常在武林路转悠，因为我们是无所事事的无业游民。现在，许多买了时装拎着纸袋的女人们在暴雨中左冲右突。我和强巴哈哈大笑，我们一致认为，女人是一种多么可爱的动物。

然后，在一个酒吧里，我们认识了林小艺。

林小艺在音乐里摇晃着自己的身体，她多么像一条无骨的鱼呀。我想那时候我一定喝得差不多了，我说，鱼，鱼，鱼。玲子白了我一眼，说你是不是吃着碗里的看着锅里的。强巴大笑起来，他满嘴的烟味在我的鼻腔四周游荡，令我无比厌恶。我说我没有，我只是看到一条鱼而已。那天晚上林小艺和我们一起玩，她说她来自千岛湖，一个很美丽的被水滋润着的地方。

我们经常在一起玩，我们勾肩搭背出现在武林路。我们一起吃火锅，看电影，打牌，喝茶，爬山。我们的日子充满了阳光。然后有一天我们看到了一个男人。男人长得很文雅，他是一个老板，他向林小艺招了招手，林小艺就听话地走了过去。男人姓朱，朱老板向我们微微笑了笑，算是打了招呼。他把手放在林小艺的肩头，两人一起走向了一辆宝马。林小艺连头也没有回，这让我和强巴很生气。我们把气生得很雄壮，把胸脯气得一鼓一鼓的。玲子冷笑了一声，玲子说，男人的骨头，都贱。

后来我们终于知道，林小艺和这个有老婆的朱老板生活在一起。林小艺是朱老板包养着的。林小艺很喜欢在女装街当模特，但是朱老板不让。朱老板说，要钱我有，但你不能抛头露面。林小艺告诉我们这些，是在一次喝酒时，被我们灌得差不多的时候说的。林小艺生长在山村，她的美好梦想就是走上T型台。林小艺喝多了，伏在桌子上哭了起来。

省里的青年模特大赛就要在武林路上举行初赛了。在我们的怂恿下林小艺报了名。但是这件事还是被朱老板知道了。朱老板在叶青路的厚道乡菜馆里截住了我们。那时候天空阴沉沉的，我知道一场暴雨就要来临了。我和强巴对视了一眼，我们的眼睛都很红，因为我们奋不顾身地喝下了好多酒，都喝得差不多了。朱老板身后跟着两个大汉，朱老板把两只手撑在桌子上，看看我又看看强巴，轻声说，是你们怂恿小艺去报名的吗？我们都没有说话，我们都把目光抛在玻璃窗外。暴雨就要逼近杭州城了。我轻轻地和强巴说，强巴，今天有一场大雨。

朱老板又笑了，朱老板仍然很文雅。朱老板说，你们肯定是活够了。朱老板说完退后几步，两个大汉向我们走来。我知道林小艺和玲子都紧张起来了，她们紧紧抱在一起。强巴说，海啦啦，你上还是我上。我有些胆怯，我说，强巴你上吧，听说你会降龙十八掌的。强巴说，你个软骨头，你上次还说你会洪七公的打狗棒法的。

强巴握住了一个酒瓶，手一挥，酒瓶砸在桌子上，半个酒瓶呈锯齿形握在强巴的手里。两个大汉把手伸向了腰间，我想那儿肯定插有刀子。他们仍然一步步往前走着。玲子和林小艺的目光一直望着我，她们的目光会说话，我分明看到目光里的那句话是：海啦啦，你真是个软骨头。我叹了一口气，把一杯白酒倒入了口中。我说看来洪七公的徒弟真的要出马了。我也学着强巴的样子，把一个酒瓶砸成了一把刀子。这时候，暴雨来临，铺天盖地。外面的大街上，卷扬起了巨大的汹涌的水流。

我们迎着大汉走了过去。大汉把脚步停住了。他们一步步退到了朱老板的身边，朱老板也向后退去，我们一直把三个人逼到乡菜馆的外面。三个人站在了雨中。朱老板突然跳了起来，在两个大汉头上各拍了一记。我们大笑起来，看着三个人匆忙离去。这时候我才发现我醉了，看到手里握着的破碎的酒瓶，我大吼一声，妈呀，海啦啦怎么会像董存瑞那么勇敢的！

此后林小艺就和我们生活在一起，她的生活一下子变得拮据。很快，她的人瘦下去了，但是却变得更加精神。她背着吉他，经常去酒吧里为人唱歌。她让我们去捧场，结果我们喝掉的钱比她唱来的钱多得多。但是我们很开心，然后，我们送她走上了武林路上的T型台，我们鼓掌，喊叫，无比疯狂。我们看着林小艺过五关斩六将，顺利晋级。

我们都知道，林小艺的星路即将坦荡。她变得忙碌，不再和我们混在一起。我们感到了悲哀，也感到了高兴。我、强巴和玲子，仍然聚在一起。我们渐渐地淡忘了林小艺，她是我们生命中的过客。我和玲子，还顺理成章地发生了爱情，但是强巴却恬不知耻地一次次当着我们的灯泡。

已经是夏天了。杭州的夏天仍然被浓郁的绿色覆盖着。我们在武林路闲逛，为谁请客喝可乐而争执。这时候，天色阴沉，黑云慢慢压了过来。和黑云一起过来的还有悦耳的吉他声，林小艺背靠在“江南布衣”专卖店的青砖墙上，微笑着拨动琴弦。我们不由自主地用破败的嗓音和了起来：当你踏上月台，从此一个人走……

林小艺说要走了，林小艺要去北京发展，林小艺弹完曲子，就和她的长发、格子短袖以及牛仔裤一起消失在武林路。我们呆呆地望着她的背影，她的背影在拐弯处消失的时候，暴雨从很远的地方跌扑过来，扑进我们的怀里。

我们被一场突如其来的杭州暴雨淋湿。我知道我们都流下了眼泪，但是雨水之中，分不清哪是雨哪是泪。强巴捋了一把脸上的雨水，轻声说，海啦啦，我们都没有哭对不对？玲子抽着鼻子，也抹着脸上的雨水说，我们怎么会哭呢，是天哭了。

连 接

〇王琼华

在前往采访点的途中，我再一次感受到这场大冰冻的残酷，一座又一座山上的松树全部被拦腰折断。但这些场面没过多被我注视。我的目光一下子逮住了一座输电铁塔。这南方铁塔的身躯竟然被冰雪扭曲得如同北方麻花一样……

一大早，报社主编给了我一条新闻线索：一位叫杜力的电力职工在抢修输电线路时，从冰冻的铁塔上掉下来牺牲了。显然，这件事在当前抗击冰冻灾害时能成为一条好新闻。也正因为此，主编很郑重地把采访报道任务交给了我。

这就是我在大冰冻的日子里还要出城采访的背景，也是沿途一路我为什么一直盯着那一根根电线杆和一座座铁塔的原因。

当我盯上又一座铁塔时，发现塔上还攀着一个人。

远远看去，还有好些人站在铁塔下。这该是电力职工在进行抢修吧。我灵机一动，如果把这场景拍下来，再把它作为这次采访稿的压题照片那该多好。我下车后，马上咔嚓咔嚓拍了几张远景照片。

走近铁塔时，我听到铁塔下那些人都在喊：“你快下来!”“你下来吧!”“下来吧!”

我问一个高个子男人：“这铁塔是不是要塌下来呢?”

“屁话!”高个子男人瞪了我一眼，“有我们在这里，这铁塔还能塌下来吗?”

我被噎了一下，反问道：“那还让人家下来干什么？这塔有一百多米高吧，铁架早被冰裹着，爬上去也够不容易的。”高个子男人没吭声，倒是一个胖小伙子接上话说：“那是一个老人哪，虽然他左一声右一声说自己是个老电工，再爬爬铁塔也不算怎么一回事，可毕竟这把年纪了。”

我大吃一惊：“爬铁塔的是一位老人?”

“六十五岁啦。”

“哎呀，你们这些人也太不负责任了，怎么可以发生这种事呢?”我突然气愤起来，朝那高个男人狠狠瞪了一眼，“那么多五大三粗的男人站在塔下喊话，怎么刚才就没一个人顶替老人爬塔呢？还好意思呱啦呱啦叫!”

这话倒没再惹怒高个子男人。他长叹了一声，眨巴眨巴眼睛，竟然涌出泪水。他抬手用力揩了一把眼泪：“他说，要把儿子没有连接好的这根高压线连接好。他把手套一戴，背起电工袋就爬了上去!”

“噢，又在搞分段包干吧。你们即便不肯上去帮忙，也该赶快去找他儿子来呀！他儿子没手机还是你们没手机？我可以把手机借你们用。”我并不是想调侃他们，说完就掏出了手机。

高个子男人把我的手机一推，哽咽地说：“他儿子还能接手机吗？你有这本事再让他接一回手机，那我一辈子喊你爷爷，我把这脑袋送给你当凳子坐！你难道没听说，他儿子昨天就是从这铁塔上掉下来的。他打的最后一个电话是昨天早上给媳妇打的，他跟媳妇说自己在冰天雪地里抢修线路，恐怕过年也回不了家，让媳妇自己去备点年货，还要记得给老人买套新衣服。唉，可万万没想到……”

我一下子反应过来：“是杜力吗?”

“他就牺牲在这座铁塔下!”

“老人是杜力的父亲?”

高个子男人点点头说：“杜力的父亲退休前也是一名电工。老父亲今天早上才从乡下赶过来。他看过儿子的遗体后，一把抓住我问，杜力的电工袋在哪里？我当时还以为他要领走杜力的遗物。可他把电工袋一背就赶到这塔下。等我们赶过来时，他已经爬上了塔……”

我被他的叙述感动了。这时，我向高个子男人亮明自己的身份，又说明了来意，才知道这高个子男人是电力集团的一位副总。副总叮嘱在场的职工要千方百计保护杜力父亲的安全后，把我扯到一侧。他迫不及待要跟我讲述杜力的事迹。就在这时，一辆吉普车疾驰而来。车还没停稳，一个三十岁左右的女人已经跳出车门。她拔腿奔向铁塔，还朝铁塔喊：“下来吧！下来吧！下来——”

但铁塔上的老人仍在往上爬。这女人是谁呢？惊愕中，只听这女人号哭几声，嘶哑地喊：“你让我上去！你让我上去！你听到没有？爸——”

最后这一声叫得撕肝又裂肺。而且叫声未落时，她又扑通跪下。那下跪声直撞得我的心猛地颤抖了一下。

双膝刚落下那么几秒钟，这女人两手又用力一撑，从雪地上爬起身子。还没有让人醒悟过来，她已经跑向铁塔。天呀，她也要爬上铁塔！当她就快要抓住铁架时，其他人这才知道要发生什么事，呼地一起拥向铁塔。连我也撒腿向她奔去。终于有人扯住了这个女人……

“知道这女人是谁吗？”副总回头大声问我。还没等我答话，副总已经含泪告诉我：“她就是杜力的媳妇！”

我当即明白了一切，杜力的父亲要替儿子完成这接线的任务，闻讯而来的杜力媳妇又要顶替杜力的父亲爬上铁塔。

我没想到此次采访这样开始。也正是如此，我在后来发表的长篇通讯中写道：“我才真正认识了，这是一位电力工人的父亲！这是一位电力工人的妻子！在这次采访中，我不仅仰望到一位英雄形象，也感受到了烈士周围的亲情！是啊，正是他们用感情的纽带和无私的奉献为我们又连接起一个光明的世界！”

独身时代

〇金　波

都市白领王彩云，待字三十未嫁，可把小姐妹们急坏了。同事杜丽丽不断催她："好姐姐，你怎么一点儿也不急呀！"

"我为什么要急呢？"彩云说，"独身多好啊，没有家室之累，绝无子女之扰；天马行空、独往独来，想干什么就干什么……"

"行了行了！"丽丽打断她的话说，"难道你就不想在下班回家之后，有人已经为你准备好了一锅热气腾腾的肉汤面？难道你就不想一觉醒来，已经有人为你打扫好了房间，烫好了衣衫？难道你就不想在需要男人的时候，伸手抓住一个现成的？"

"今天是周末，"彩云微微一笑，"晚上到我家去看看？"

"去就去，正好让我亲眼瞧瞧一个又懒又馋的独身女人的一屋狼藉相，看你还想不想结婚！"

彩云带着丽丽回到自己的住室时，已经是繁星朗照、灯火通明的晚上。穿过流光溢彩的街道，步入自己的小区，打开房门，一股清香从厨房里扑鼻而来。丽丽吸吸鼻子，大叫："好香啊！这是什么好吃的东西？"

"请顺便看一眼我的房间地面。"彩云提醒说。

地面上光洁如表，显然是被人刚刚"拖"过。

"请再参观一下我的卫生间。"

卫生间里也收拾得干净清爽、一尘不染，洗刷用品各就其位。

“奇怪，难道你趁上班的空隙，悄悄溜回来过?”丽丽百思不得其解，“可是，你根本就没有时间呀!”

“请跟我来!”彩云嫣然一笑，扭动一个柔美的曲线，来到一个挂在墙上的四四方方的电器跟前。丽丽知道，那是留言机。

彩云按了一下键，一个女人的声音随之响起来：“您好，我是美家保洁公司的036号服务员，很高兴为您服务。如果我的工作不能令您满意，请向本公司投诉，我一定会改进……”

“原来你请了钟点工?”丽丽明白了。

彩云再次按了一下键，又有一个女人说话了：“您好，我是钟情餐饮服务公司的048号员工，很高兴有机会为您服务。已按您的留言要求做好了晚餐，希望您能够吃得开心。如果不满意，可以向本公司投诉，我将尽力达到您的要求。祝您晚安!”

“哇，你可真会享福耶!”丽丽又惊喜又眼红。

“现在是高度分工的年代，什么事都指望自己做，累死自己不说，也不利于那些新生事物的发展呀。”彩云扭了扭屁股，神态优雅地去了餐厅，和丽丽一起开始用餐。

“可是，”丽丽不服气，“总有些东西你是不能指望别人的呀。”

“你指的是什么?”

“例如，爱人的安慰、亲人的欢笑、欢乐融融的气氛……”

正在这时，彩云的电话响了。她拿起话筒接听，一个动听的男中音传过来：“您好，这里是谈心家政服务公司，我是09号业务员。请问，您今晚需要陪聊服务吗?”

“对不起，你们的知识还不够渊博，语言还不够幽默，故事笑语还不够精彩，人情世故了解得还不够充分，女人的心理需求还没有掌握得彻底……”

“谢谢您的宝贵意见!不过，最近我公司新引进了几位高素质的男陪聊，不仅知识面广，而且还会揣摩女性心理，达到善解人意、投其所好，每次都会让被服务对象心情舒畅、印象深刻，陪聊的时间一再延长。您是老客户了，建议您试一试。”

“明天晚上好吗？今天我不需要。谢谢啊。”

“好的，再见！”

“怎么样？”彩云放下电话，朝丽丽摊摊手，“难道你不觉得一个专业陪聊人员，更懂得如何安慰女人，给女人带来欢笑吗？”

“哼，我还是不服气！”丽丽放下碗筷，“总有些东西是不能指望别人的。例如，肌肤的接触，生理的渴求……”

话音未落，电话再次响起。彩云朝丽丽做了一个鬼脸，说道：“已经有人在替我回答这个问题了。”

电话接通后，一个男中音马上响起来：“您好，我是迷你按摩洗浴中心的015号业务员，请问您今晚需要服务吗？”

“今天是周末，正好需要。”彩云朝丽丽挤挤眼睛，肯定地回答。

“那么，您是需要单项服务，还是全套服务？如果是单项服务，我们只给您配送一名技术精湛的女服务员；如果需要全套服务，我们会给您配送一位年轻英俊的小伙子。”

“当然是全套。小伙子没问题，不过必须是经验丰富的。”

“请放心，再见！”

“好哇，你太不像话了！”看到彩云洋洋得意的样子，丽丽一下子扑过去，严厉地问：“说，什么是单项服务。”

“就是、就是为我洗浴、按摩、捶背、捏肩、拔罐、皮肤护理呀……”

“那么，全套服务呢？快说！”

“我不说，但你能想象得到！”彩云嘻嘻地笑。

“好哇，你这个胆大妄为的家伙！”丽丽把彩云按在沙发上，狠狠地抓她，“我代表已婚姐妹收拾你！”两人疯了半个时辰。

“我该知趣地走开了，”良久，丽丽叹口气，整整头发，“我可不想见到你的那位英俊年轻的服务生，否则我会气死的！”

我的拍档 MBA

○樵　娘

在大公司当个小马仔，也是蛮有面子的。尽管我在这家上市公司只是个最低级的职员，也心满意足。

我的“头儿”加拍档朱生（其实他也不是领导，资深而已），是个名牌大学的研究生，拿了 MBA 证书的。因为这个原因，我心中对他敬畏几分。听说我们这个职位最终只能留用一人，心里不禁惴惴不安。可是也有个缘故让我心存侥幸：就打听到的消息，我的这个前辈虽然学历响当当，却一直提不上去，并且职位越做越低。这可让我百思不得其解。

一上班就安排我和朱生出差上海。这可得小心点儿，他可是我的对手啊。

这次出差，朱生可真让我刮目相看。这不是指业务，而是指他的“怪”。在酒店住下已是晚上，我们电话联系了业务单位，约好次日早上见面商谈，就各自睡觉了。早上与他在楼下吃早餐，一低头，发现朱生只穿了一只袜子。因为跟他还不算太熟，我也不便多问，只装做没看到。这位老兄大概觉察到我的目光，嗫嗫嚅嚅道：“咳咳，早上起晚了，一只袜子怎么也找不见。”我也不知道他是不是只有这一双袜子，不敢照直问。透过窗子向外看，商场都还没开门，便也没什么好建议给他。时间已来不及了，我们坐上车去谈事。

坐在窗明几净的写字楼里，喝着前台小姐送上来的热茶，正严肃地就某个专业问题磋商时，一抬头，突然瞥见朱生的高领毛衣脖颈处露出一个黑麻麻的东西：袜子。我惊讶得张着嘴，不知道该怎么办。朱生毫无察觉，潇洒地挥着手，露出一口泛黄的牙齿，操一口夹带着英文的“南方国语”，出口成章谈笑风生……

我这才发现，这个高智商的 MBA 生活自理能力极差，当下就险些笑出声来。考虑到我们上市公司的形象，我想办法支开谈事的对方，趁他去拿资料的时候，闪电般地把那只袜子从朱生的脖领里揪了出来，一把塞进公文袋。我的公文袋可遭殃了，一股恶臭被密封在内。

朱生总是不断地制造惊喜。第二天晚上我出去会朋友，深夜回到我俩住的房间，惊讶地发现他把我头天换下的内衣裤全洗了，不管干净不干净吧，反正都在洗手间晾着。我不知道他怎么会有这么个怪习惯，我可不行，让别人洗内衣裤大大受用不起，并且他还是公司的前辈。想出去道个谢，听到他已经打着呼噜睡着了。

次日清晨，睁开眼就看到室内溜达的朱生，便开口致谢。他大张着嘴“啊”了半天才说：“那是你的内裤啊？我已穿上啦，还以为是我的呢。”啊？我晕！

我们是大公司，有自己统一的着装配备，上班必须穿戴整齐。朱生老是跟别人穿错，或者大家午休起来他找不到自己的外衣。为了不再犯这样的错误，他把自己的两件外套都写上“朱”字。不久，公司不少员工的衣领上都出现了一个歪歪扭扭的“朱”字，调查后发现：原来他老是发现穿的衣服上没有字，想都不想，便再写上一个。

最终这个 MBA 被炒了鱿鱼。

不是公司在乎这些小节，而是朱某人的一口痰，吐掉了公司的一笔大生意。这事说奇怪也不奇怪，这厮随老总去谈判，一路上自顾自地走，自顾自地吃，最后，在五星级的大堂里，谈判出来的他一口痰吐在地毯上。合同没签成，对方没有其他的理由，只说感觉我们实力不够，虽然是上市公司，可是员工的素质极差，随地吐痰。

高考与命运

○春日迟迟

我们高考的时候，大学还没有扩招，那个时候整个社会讲究“真才实学”，考大学如果报个中文系什么的都会遭人耻笑——那说明啥？说明你除了死记硬背不会干别的。

高中文理分班的时候我妈妈非要我读理科，理由很简单，文科用花四年的时间吗？结果临到报志愿才发现问题：学医吧，我怕血；学精密仪器吧，我视力差；学军工吧，又非我所愿。当时我对人生抱着一种不可救药的浪漫态度，一心要去学地质学远洋学航运，总之非要学点跟野外沾边的东西，最好一年四季风餐露宿的那种，把我妈妈急得不得了。她大学的专业是工业企业自动化，我父亲的专业是电机。她苦口婆心地跟我说，我们国家要实现四个现代化，所以这两个专业都是最有前途的。无奈我那个时候叛逆得很，没听她的。

我妹妹比我小两岁，她考大学那年我妈妈正在日本。那个时候不要说手机，连电话都不是谁想装就能装的，更遑论国际长途，我妈妈在日本两年多时间，大概只和家里通过一次电话。那天晚上我陪着妹妹去了我妈妈的单位，办公室的阿姨看着我们眼里泪光闪闪，她大概觉得我们挺可怜的——父亲早逝，母亲远在异国，遇上这么大的事连个商量的人都没有。

七点整，电话铃声响了，是我妈妈打过来的。我根本一句没捞着说，我妹妹拿着厚厚的一摞招生简章不知从何说起。我妈妈告诉我妹妹第一志愿报清华大学电机系，理由很简单，那是我们父亲的专业。我妹妹问其他志愿呢？我妈妈说其他志愿你自己定吧。然后就挂断了电话。我妈妈很自觉，从来不占公家的便宜，这一次为了我妹妹的第一志愿用了公家的国际长途，已经是破例了，哪里还能奢谈其他志愿？

后来我妹妹考上了清华大学电机系，学制五年，毕业以后我妈妈授意她去水电部，离我们家又近，福利又好，而且以后上三峡工程也有用武之地。我妹妹不肯，闹着死活要出国深造。后来她就拿了全额奖学金去了美国，再后来去了爱立信，再再后来，到了爱立信的北美基地。那个基地一年有半年是冬天，冬天温度零下四五十摄氏度。前一阵，我妈妈生病住院，我妹妹回来看望她，同病房的人还以为我妹妹是我们家的乡下亲戚。她穿得那叫一个朴素，既不打扮也不化妆，头发根本谈不上型，就那么随随便便用发卡一卡。

我妈妈闲暇的时候跟我感慨：你说你妹妹那儿跟咱们国家的西部有什么区别？要是让她支援西部建设她肯定觉得委屈，噢，到国外支援人家的“西部”她就不委屈了？

我跟我妈妈说，主要是您不应该让她去学什么理工科，当初您要是让她学个酒店管理或者室内设计呢？最不济，像我，学个伦理学，除了混在北京，还能上哪儿混去？上人家国家支援人家“西部”，人家也不要啊。

驴 案

○曲文学

邢所长到派出所任职的第二天，何家沟村何老汉家丢了一头驴。按说丢一头驴不算什么大案，不值得大惊小怪，可驴的主人何老汉来头不小，他有个外甥，是这个县的一县之长。县长亲舅舅的驴丢了，不是儿戏。邢所长立马召开全所民警大会，把破获这起案子，上升到讲政治的高度，成立以案发时间为代号的“5·20”专案组，邢所长亲自挂帅任组长，其他班子成员为副组长，成员由全所民警及何家沟村治保主任担任。邢所长部署，要举全所之力，破获这起案子。

民警给何老汉做询问笔录，详细了解驴的体貌特征，以及丢驴经过。“您的驴是什么颜色?”“棕灰色。”“几岁口?”“五岁口。”“有什么明显特征?”“驴的左前膝盖有一处烫伤，是开春挂掌时铁匠铺不小心给烫伤的。”……

想破获这案子，没什么捷径可走，只能挨家挨户走访、排查。一连折腾两天，侦破工作没有进展。邢所长一筹莫展。何老汉坐到派出所不走，一副民警不找回驴誓不罢休的样子。何老汉家里有几亩地，全靠这头驴出些力气，眼下，正是农忙时节，驴丢了，失去一个好帮手，他能不急?

邢所长更急，搜肠刮肚，终于想出一个法子来。他安排民警老郭，一大早，去牲畜市场，花大价钱买来一头驴。这驴膘肥体壮，油光水滑。邢所长点点头，他是想用这头驴抵上何老汉丢的那头驴，先把他哄回家，破案的事，就可以放放再说。没想到民警老郭把驴牵过来，何老汉的头摇得像拨浪鼓，一个劲说这不是他的驴。他的驴他闭上眼睛都能摸出来。不是他的驴他坚决不要。这何老汉竟是一个认死理的人，认准的事，十头犟牛都拉不回来。就这样，何老汉每天早晨到派出所报到，往值班室一坐，眼巴巴盼着破案。邢所长不敢怠慢，好烟好茶侍候，中午又安排食堂加两个好菜。可何老汉茶饭不思，闷闷不乐，低头一根接一根吸烟，一门心思等着他心爱的驴能出现在他的眼前。

这天早晨，邢所长叫来民警老郭，附耳几句。老郭边听边一个劲儿点头，转身离去。中午时分，老郭风风火火地回来，还带回一辆农用三轮车。邢所长同老郭一起来到何老汉跟前。“大爷，驴的案子破了。”邢所长说。

“什么？案子破了？”何老汉忽地站起来，脸上放出光彩来。

“是的，大爷，这下您就放心了。”邢所长喜悦之情溢于言表。

“那驴呢？怎么不给我牵回来？”何老汉环顾四周，没发现他的驴。

邢所长让何老汉先别急，问：“驴是不是五岁口的？”

何老汉说：“对呀。”

邢所长又问：“驴的左前膝盖是不是有一处烫伤？”

何老汉说：“没错。”

邢所长一拍大腿：“这就对了，”接着沉下脸，做出痛苦状，“案子虽然破了，可驴是牵不回来了。”

“为什么呢？”何老汉一脸迷茫。

“驴已经被屠宰场给杀了。”邢所长说着，拉起何老汉，来到农用三轮车前。民警老郭把车斗里的苫布一掀，是一堆肉绊子。

何老汉见自已的驴被人给杀了，抱着脑袋，“呜呜”哭起来：“我的老伙计，你死得好惨啊……”

邢所长安慰何老汉，驴死不能复生，还是节哀顺变。

何老汉鼻涕一把泪一把，哭得悲悲切切。

邢所长说："案子破了，可一头活驴变成一堆驴肉，现在说说返赃的事吧，您老是要驴肉呢，还是要钱？"何老汉哽咽着说："这驴肉我能吃下去吗？我就是下辈子也不想吃驴肉啦。"

邢所长给何老汉四千元钱，算是赔偿。一头驴也就值三千两千，给四千，何老汉应该满意。何老汉突然问，案子破了，那窃贼呢？这个挨千刀的，你们给我出出这口恶气。邢所长说窃贼把驴卖到屠宰场之后，逃之夭夭，派出所正在上网通缉，很快就会落网；至于屠宰场，对收赃买驴的事实供认不讳，愿意赔偿经济损失。

何老汉揣着钱，"呜呜"哭着离开派出所。邢所长总算松了一口气。

第二天上午，何老汉竟然牵着一头驴，来到派出所。何老汉把四千元钱递给邢所长，拍了拍身旁的驴，说这就是他丢的那头驴。驴是今早自己回来的，可能是窃贼没来得及下手，一时没拴住，驴又偷着跑回来了。最后，何老汉咧开嘴笑了："都说老马识途，就没有人说老驴识途，我这个老伙计呀，命硬着哩，愣是没被那个龟孙子给整死。"

邢所长戳在那里，眼见着何老汉牵着驴，带着小跑，一颠一颠离开了派出所……

祝福我的表哥

〇朱耀华

听说表哥来了广州，我急了，我知道表哥来广州不为别的，是为了跳桥。这可了不得啊，跳桥是大事，要影响交通，搞不好还要出人命。我必须拦住他。

表哥来跳桥的原因很简单，他的酒楼被当地镇政府吃垮了，打了一大堆白条。几任镇长下来，全成了呆账。表哥资金链严重紧张，欠了服务员工资，整天被人家追着要，酒楼也开不下去了。这两年，表哥天天跑镇政府，腿跑断了，钱还是没有着落，所以，表哥想到了这种极端方式。至于千里迢迢跑来广州，是因为受了电视的启示。表哥说，广州大，车多人多，交通一堵，记者一采访，领导一重视，什么问题都解决了。

这些话，是表嫂在电话里告诉我的。

我问，他是真跳还是假跳?

表嫂焦急地说，不知道啊，他也没和我商量。你知道，他这个人容易冲动，加上欠这么多账，天天有人上门，家也不成个家了。

我说，嫂子你放心，我一定找到他，不让他跳。

可是，人海茫茫，我到哪里去找表哥呢?

我给认识的老乡都打了电话，没有表哥的消息。从时间上推算，表哥应该已经到了广州，他的手机一直处于无人接听状态。我打了好多次，一次也没有回。我知道，表哥犟，一旦他拿定主意，十头牛也拉不回来。到了这个时候，我才觉得人真的很渺小，渺小到连自己的表哥都找不到。我悲哀。我无可奈何。我知道，表哥一定在我生活的这座城市的某个角落，我希望这座城市的美丽和温情能够打动他，令他回心转意。

一天过去了，没有听到表哥的消息。我提心吊胆地过了一个不眠之夜，终于，第二天上午，令我担心的消息在电视上出现了：一个中年男子站在了海风桥上。

不错，正是表哥。

表哥站在海风桥上，不知道他是怎么偷偷爬上去的，几个看桥的人都没有看住他。一个人有备而来，你是没有办法的。表哥站在桥上，从他的胸前垂下一条横幅，上面写着五个大字：还我血汗钱。

我心急火燎。由于交通堵塞，我赶到海风桥时，已经是一个小时以后了。那时，表哥还在桥上，桥下有很多的警察和消防队员。有人靠近表哥，在对他进行劝说。表哥一边说着什么，一边情绪激动地打着手势。

我对警察说，桥上的是我表哥，我去劝劝他。警察核实了我的身份，同意了。警察拍拍我的肩说："注意安全，慢点儿。"

我向上爬去。表哥看到了我，对我喊："华弟，你别上来。你上来也没用。"

我爬到一半，向下一看，头上就起了虚汗。我太佩服表哥了，在我的印象中，表哥一向胆小如鼠，他敢爬这么高，一定是无路可走了。我定定神，继续向上爬，边爬边喊："表哥，你等我，我跟你一起跳。"

终于，表哥妥协了。为了我，他决定不跳了。

表哥脚一落地，就被警察拉住了，记者也包围了他。表哥对记者吐了一大堆苦水。记者问，你家乡那么远，为什么要跑到广州来跳桥？

"慕名而来，慕名而来。"表哥诚恳地说，然后一脸愤然，"家乡的桥我也跳过，跳过两次。没效果啊！"

表哥被警车带走了。两天之后，我才又见到了表哥。表哥一见我，就一连叠声的数落起来：“表弟呀，危险啊。那么高的桥，那天你往上爬，我都替你捏了一把汗。你不比我，你胖，又笨，真的摔下来怎么办啊!”

我生气地说：“还不是为了你。万一你跳了，你家里人怎么办?”

表哥搔着头：“我也是没办法。”

我留表哥在广州玩几天，但表哥没有留下来，因为镇里派人接他来了，还来了专车。他们说了些什么我不知道，反正表哥明显轻松了下来，当天就跟着走了。临走时，我语重心长地对表哥说：“再不能干傻事了，回去好好过日子，不要给政府添麻烦，啊。”

镇干部也说：“要相信政府，什么问题都是可以解决的。”

表哥点着头，两行泪水从他的眼里滑落下来。

牺 牲

○石建希

窗外的天色很黑，天空似乎也矮了一大截，越野车强烈的灯光射过去，密不透风的雨幕后面，是黢黑的天，让人担心那团黑色随时会一并砸下来。情况通报说这是百年难遇的大洪水。

永刚看看表，时间又跑了10分钟，正是晌午。作为野战部队的一个少校副参谋长，这些年的力气都使用在四处的救急中去了。而此刻，上校大队长，永刚的贵人就坐在前面。

从军校出来的少尉到今天的少校，永刚没有离开过上校的目光，他看着永刚从一个少尉成长为少校，据说这已经超过他的纪录了，他升少校时比永刚大五岁——尽管他现在已经是上校了。他甚至嘿嘿笑着，对永刚说，你要想再升快点，只有尽快把我肩膀上的星星多增加一颗，我才有位置给你空出来。于是上校总是把上阵的机会让给永刚。

雨水还在瓢舀盆端地泼下来，没有人知道后面的雨水究竟还有多少。在古北堤坝那边，新兴的开发区已经泽国一片了。据气象局预报，大雨还要持续5个钟头，堤坝溃掉是迟早的事情。现在洪水已经围住了上百名群众，有个厂子准备转移的决心下晚了，谁在丢掉每月以万为单位的产值面前都不是神仙，当时都说去年大家已经遇上一次五十年一遇的洪水了，今年应该没有更大的问题，但是，这个要命的但是，是永刚他们这支队伍必须去解救他们了。

车子与公路坎下的江水赛跑，雨刮器要命地晃动，也没有什么作用。

永刚回过头去看后面的车队，突然感到车子漂了起来，紧接着在人的惊讶声和车子撞击江水的乱响中，永刚发现自己乘坐的这辆指挥车因为路基塌陷，已经掉进了汹涌的江水中。

浑浊的黄水很快就漫过了密闭的车窗玻璃。车子被拦在一块大石头前，永刚清醒过来的时候发现驾驶员伏在方向盘上，上校好像也受了重伤。永刚意识到的第二个问题是，水中的车窗玻璃不是那样容易砸开的，而且车窗玻璃一旦弄开，污浊的浑水立即就会涌进来。永刚把手伸向上校，却猛地被上校掀开了。

脚被卡住的上校很生气，他厉声呵斥，你不要，不要侮辱我的能力，你的前线在古北大堤。我把脚松出来就没事了！

最后上校推着永刚的大腿把他送出了车子。永刚挣扎着游到了岸边，后面的战士已经全部跳下车来，脸上满是惊慌。

永刚留下了一组战士营救上校。汹涌的洪水咆哮着，前线局势要命地紧急，那里现在可是围困着上百个手足无措的群众。

这无疑是一次相当精彩的救援，现场的手机录像证明了这支“铁军”的勇敢。战士们顶着拍打在胸口、脸上的惊涛骇浪，在300米宽的洪水中搭起了一根救命的缆绳，从这根救生索上牵引过来了138个人，其中没有一个是永刚带过来的。他记得上校曾经说过，立功的机会是兄弟们的。其实看着人遭罪，而自己无法直接援手，也是很慌人的。

在和洪水生死搏斗的三个小时里，永刚没有想起上校，就好像那里是后方。

后来大家都说，永刚站在大堤上纹丝不动，目光坚毅，像个将军。其实永刚知道，自己满脸的水全是汗，那攥住心尖尖的手一刻也没有放松。前线的救援刚刚平息下来的时候，永刚看看左右，没有上校的身影，再回望雨幕中的公路，大雨依然猛烈，刷刷地下，下得人心发毛，不停呼叫的电话那头始终沉默，永刚眼前有点儿发黑，全身的汗水顺着雨水不停地往地上滴。

到这场百年不遇的洪水退下去，还是没有人看见上校的身影。全市动员了上万人沿江而下，也没有找到那辆车和上校的影子。

上校的爱人除了哭泣再没有多余的话，和永刚一句话也不能说，甚至不能再见面，一见就止不住地流泪。要知道以前她比上校更爱和永刚说笑的。

灾后是照例的表彰。在出席救灾英模的表彰会上，永刚头一次不明不白地晕过去了。这次的表彰会上没有出现授给上校的鲜花和证书。表彰名单里面也没有永刚的名字。

获不获奖不重要，重要的是永刚晚上总是做噩梦，上校的手无数次把睡梦中的永刚从床上掀下来，让永刚一夜一夜地合不上眼。

上校的证书是在半年后审批下来的。打沙船在江底找到了锈蚀的军用吉普，车里两具骨架抱在一起。

省里和军区联合召开了追授英雄荣誉的表彰大会。大会上，上校的爱人没有哭，自从看见两具纠缠在一起的遗骨，她就不再流泪了。那时，上校的爱人看见了在下面坐着的永刚，永刚曾经青翠茂密的头发一片雪白，原来挺拔的身板也弯了，再没有以前那种精神头了。

表彰会后，永刚就退伍了，医院检查他的身体已经垮了。在军营的门口，上校的爱人赶来了。她对永刚点头，永刚也点头。她又点了点头，永刚还是点头。临末了，她握着永刚的手说，都是水，是水的原因。谁叫他们是兵呢？

哗的一声，永刚拼命护着的泪海大堤轰然崩溃，这个曾经坚强无比的战士顿时哭得一塌糊涂。

朋友

〇秦 辉

我一定要去看刘长青，一定。

每天我上班路过一个建筑工地，总会看到一群戴着安全帽的民工，他们三三两两，有的斜叼着烟，有的哼着小曲儿。看到他们，我就会想起刘长青。想他正于某一个城市的角落里混迹在这样一群人中间，休息的间隙，掏出手机写上几句问候，低头想想然后摇摇头删掉，再然后望着天空，想象一个叫秦辉的名字和一座称为滨州的城市。

我有好久收不到刘长青的街头小景了。

我决定去看他。

我上街买了好多土特产品，给他妻子买了一套我用着不错的化妆品。他曾在信中说他妻子是附近几个村里最俊的姑娘，好多小子做梦都想娶呢！我问那你咋把她糊弄到手了？他说，还不是咱长得黑。

给他儿子带什么呢？刘长青的儿子叫康健，他说取这个名字就是希望儿子能健健康康平平安安。我说那直接叫健康多好，他说那多俗，倒过来显得咱有文化。他总是那小子那小子地叫，他说那小子特聪明，长大了肯定比他强；他说那小子吃得特多，像头小狮子；他说那小子长得壮极了，跟个小老虎似的。我没见过刘长青，但见过他的照片。在长春火车站拍的，红毛衣，黑青裤子，站在一个枯败的花坛前。脸很黑，一本正经的。

爱人建议我给孩子买套运动装，算来他儿子该上高中了，我说穿着不合适怎么办。爱人说买大号的，应该没问题。我去李宁专卖店，买了一套黑白相间的秋装，外加一个淡绿色的旅行背包。

火车是傍晚的，夜幕在窗外渐渐拉开。放好行李，我从包里取出一封信。

刘长青是个民工，是我结交了十七年的笔友。他寄给我的信发自祖国的大江南北，而且信纸每次不同，有时是孩子用的作业本，有时是工地记账用的页面，有时是一个皱巴巴的香烟盒，还有一次是在街上撕的广告纸。他喜欢画画，而且有此天赋，他的信中常捎带几张素描或是涂鸦。

我记得最清楚的一封，他这样写道：我刚从街上回来，我们站在街头，像货物一样被别人挑选。我这货质量好，被挑了两次，一次是帮人刷漆，一次是给人扛白菜。

现在，这封信就拿在我手里。再读这些熟悉的句子，我的心隐隐作痛。

我一直帮不了他，对此，我深感愧疚。他说，你能听我乱七八糟地瞎说，就是帮我。

刘长青长年奔波在外，只有麦收和春节时回家。今天是芒种的第七天，他肯定回来了。

火车到了县城，换乘客车，这条路线是我根据刘长青信封上的地址打听到的。到那个叫刘家庄的村子时，已是中午。太阳高照，我走向一户人家。一位敞着衣襟的老太太坐在门洞里摇着蒲扇。她说，康健他爹娘这会儿在田里做活呢，只康健在家。

根据她的指点，我拐过两个胡同来到一座土屋前。

房子很破，土坯垒的。院子里有两只羊啃着草，靠东墙边开出一小块菜畦，里面种着丝瓜、扁豆、生菜还有一棵葡萄树。

我走进去，屋里收拾得很干净。墙上挂了一些相框，有一张结婚照，刘长青搂着一个穿红衣服的女人。女人梳着短发，大眼，脸上一块紫色的胎记从左眼一直到下巴，嘴巴有点儿歪斜，但笑得很甜。还有一张，就是寄给我的那张，长春火车站，刘长青站在花坛前，红毛衣，黑青裤子。

东面是一座大炕，炕上躺着一个男孩，好像是睡着了。他软软地倚在炕背上，嘴角流着口水，两条腿僵硬地伸着，那腿细得不成样子。

我悄悄退了出去。回到家，我把衣服和化妆品都仔细地折好，打成邮包。在写下收件人刘长青的名字时，我的泪水流了下来。

夹竹桃

○张艳霞

缘于工作的关系，小魏常要出入酒吧等一些娱乐场所。

如此便遇上了她。

她每个晚上都会周游于酒吧与其他娱乐场所之间，像一朵夜间盛开的玫瑰。她的笑声往往会很放肆，放肆地笑着，笑得响亮又很嚣张。

小魏也渐渐熟知了她的名字："夹竹桃"。初听这个名字，小魏有些不解，好端端的一个女人，为什么要起一种植物的名字呢？这真让人难以捉摸。

会过几次面后，小魏和她也有些熟了。有次，小魏请她喝酒，小魏问她，为什么要起这么一个名字呢？她只是看着小魏，忽然意味深长地说了一句，你有不同于这里其他男人的气味。她的这句话，足够让小魏骇然。

小魏其实是便衣警察，奉命潜伏在酒吧等娱乐场所调查最近的一起贩毒事件。

不过还好，那句话之后，她对小魏也很友好，没再说出类似的话语。这让小魏忐忑的心多少有了些平和。

她的酒量很大，但她的脾气和她的酒量一样的大。

一次，一个喝醉了酒的男人拉她喝酒，她不肯，男人硬拉她时，她居然拎起一个酒瓶就砸男人的脑袋，砸得男人满头是血。和男人一起来的几个人立刻恼了，可刚站起身就坐了下来。不知什么时候，在她的身后，居然已站了五六个拿刀的痞子，那些痞子的刀，在灯光下直晃得人两眼发慌。

一个晚上，小魏和她喝酒。她喝得有些多了，喝得满脸涨红，眼中竟隐隐有了些泪。在此之前，小魏从没看她有过泪。

她看着小魏说，想不想听个故事？

小魏说，好。

她就说了个故事，一个女孩的童年故事，女孩出生在一个贫困的山区，山区传宗接代的观念很重，必须要有个儿子才算有后。如此却连生了五个女娃。女孩是家中的老五，家里原本就穷，再加上女孩和姐姐们，家里的困苦更可想而知了。女孩从小就有一顿没一顿的，身上穿的，也从来不觉得暖和。女孩七岁时，被送去邻村的一个男孩家做童养媳，那男孩比女孩大两岁，从小就有精神病，时好时坏。好的时候会和女孩一起玩，犯病的时候就会拿棍子打女孩，狠狠地打女孩，打得女孩满地翻滚。女孩13岁那年，男孩家居然安排女孩和男孩圆房，在圆房的前一个晚上，女孩跑了。

讲到这里，她忽然就不讲了。

小魏问，那13岁以后呢？

她忽然一笑，说，没有了。然后她站起身，跑到吧台前，又问招待要了杯酒，然后看也不看，就一饮而尽。

这段时间的贩毒比较猖獗，很多地方都出现了毒品，但除了抓到几个小角色外，一无所获。小魏接到局里的电话，说可能是大毒犯王老黑在动作，但暂时还没找到罪证，局里要求小魏要盯住酒吧等场所，伺机寻找证据。

小魏隐隐感觉与她有些关联，有次，小魏试探性地悄悄问她，有货没？她却笑了，反而说，我可是良民啊，犯法的事我可不做的。

几天后，一个中年女人带着一大帮人来酒吧找她，口口声声说她迷惑了女人的男人，要砍了她。还好，小魏帮她从后门逃脱。小魏认识那个女人，是王老黑的老婆。

事后，她请小魏喝酒，感谢她救她一命。

她又喝了很多的酒，她问小魏，你是不是觉得我很坏？

小魏想了想，说，很多时候，人都是没有选择的。但是，有时候也可以改变的。

她没说话，但她看向小魏的眼睛，很亮。

之后的一个晚上，她摇摇晃晃闯进酒吧，脸上，带着她从没有过的慌张，两只眼睛也是左顾右盼着，似乎在寻找着什么人。

直至看到小魏，她才稍稍镇定了些，她三步两步来到小魏跟前，阴暗的酒吧灯光下，她的脚步显得极其不稳。

来到小魏跟前时，她忽然轻轻说了句，别看我，我有一份东西给你，这份东西或许对你们有用。小魏看了她一眼，然后接过她怀里拿出的东西，很隐蔽地藏在身上。

小魏还想问什么时，她却又摇摇晃晃地起身，又是跌跌撞撞地出了酒吧的大门。小魏想拦也拦不住。

小魏匆忙拿着东西回到警局，打开东西一看，居然是一份资料。资料上，清晰地记录着王老黑贩毒的条条目目，包括交易地点、交易人等，足够将王老黑缉拿归案。

看着这些资料，顿时就想起了她，小魏隐隐感觉有些不妙。

小魏匆忙带人赶到王老黑在郊外的别墅，迅速抓获了王老黑和已被打得遍体鳞伤的她。

回到局里，小魏打开电脑，无意中看到一段关于“夹竹桃”的文字介绍：夹竹桃，性喜充足的光照，温暖和湿润的气候条件。本身无毒，只因吸收空气中的各种毒素，而变得有毒。

时　间

〇一　冰

晚报记者邓唯一最近想做一个深度报道，报道涉及一个权威部门的领导，必须要有他的话，或者要有以他的名义说出来的话，这个报道才能更有冲击力。这个报道邓唯一其实已经做得差不多了，甚至连那位部门领导该说的话都为他设计好了，可问题是，总是无法找到那位部门领导。

邓唯一打电话给部门领导的办公室，办公室的人说："领导很忙，没时间接受采访。"

邓唯一又打电话给部门领导本人，他也这样说："我没空。"

"我知道您时间紧张。"邓唯一忙说，"我需要的时间不长，15 分钟就行了。"

"你写的什么报道?"

"就是关于……"邓唯一把报道内容简述了一遍，最后承诺，"保证是正面的，请相信我们的新闻纪律！而且对您个人也有好处，表现了您个人的领导水平，突出了您个人的公众形象。"

"正面的……"部门领导沉吟了一下，还是说，"对不起，我确实是没时间。"

部门领导很快就挂断了电话。邓唯一非常郁闷，他也知道现在很多领导都非常低调，不管是正面还是负面，总之是如非必要就不想上新闻。

采访不了领导，邓唯一的这个深度报道就只能放着。

有一天，关系非常好的英杰公司的老板杜英杰请邓唯一吃饭。席间，邓唯一提到这件事。杜英杰问明是哪个领导，就打了个电话，不一会，邓唯一一直想采访的那位部门领导就来了。

杜英杰把邓唯一的事告诉了部门领导，部门领导很坦然地跟邓唯一握手，还说："对不起邓记者，我的确很忙。"

邓唯一忙离席，说："其实稿子我已经写好了，包括领导您要说的话我也都想好了，我现在立即回去拿来给领导您看。"

"不用了!"部门领导大手一挥，"就按你说的办！小兄弟，我相信你!"

部门领导称自己兄弟，这让邓唯一很是受宠若惊。然后他就跟部门领导喝酒，喝了一杯又一杯；喝完后大家又开始打麻将，打麻将的本钱都是杜英杰拿的；打完麻将又喝酒，喝完酒又去洗浴中心泡脚……邓唯一陪在旁边直纳闷：部门领导其实很悠闲呀，说来就来，而且一玩就是整夜整天，怎么会没时间呢?

大家玩累了，就在杜英杰安排的宾馆里休息了。第二天，部门领导提出要去钓鱼，大家就准备出发去钓鱼。就在这时，邓唯一的手机响了，是邓唯一的母亲打来的，她说邓唯一的外婆病了，让邓唯一回去探望一下。

邓唯一想想没什么事，自己又不会钓鱼，就要答应去看外婆。这时，部门领导忽然说："邓记者，我可是专门来陪你的呀，你如果走了，可不够意思!"

杜英杰也说："领导一向很忙，难得有机会在一起啊。"

邓唯一只好回电话："妈，我现在很忙，走不开，等有时间了，我立即就去。"

车子行进在乡间小路上，因为昨晚没睡好，大家上车都睡着了。邓唯一一觉醒来，忽然发现这地方很熟悉，好像以前曾经来过的。仔细想了想，这是与外婆家相邻的一个村子，小时候外婆曾带他来采摘过桑葚等野果，现在开发成度假村了。

两天后，邓唯一接到外婆病重的消息。赶过去时，外婆已经永远地闭上了眼睛。母亲流着泪说："外婆最疼爱你了，临走前想看你一眼，可还是没等来……"

邓唯一跪地痛哭："外婆，对不起，我没……"

后来两字是什么，没人听见。

城乡生活简记

〇嘉　男

方大妈在饭桌边落了座，心情相当不错。这是她来大儿子家的第一顿饭，一盘家常炖子鸡和一条红烧鲤鱼，正散发着诱人的香气，两盘配了红辣椒的青菜，也炒得精精神神。窗外，霓虹闪烁，城市的夜空美如鲜花。

媳妇夹了一块无骨的鸡肉，放在了方大妈的碗里。妈，您别客气，多吃点啊。

方大妈慌慌地说，这是好肉，给我孙女吃。肉又到了孙女的碗里。孙女不领情，嚷着要鸡大腿和鸡翅。媳妇忙把两个鸡大腿和两个鸡翅的中部都夹到孩子的碗里。

方大妈筷子一伸，夹了一个鸡头放到自己碗里，又夹了个鸡爪，说，这是我的，你们多吃肉。

媳妇客气地笑了一下，收拢嘴巴，夹了一块带骨的肉，低头吃。儿子表情尴尬地笑笑，说，妈，你吃。

过了一会儿，儿子在鱼身上夹了一块好肉放到妈的碗里，紧接着又折断了鱼尾夹到媳妇碗里，正在卸鱼头，方大妈忙伸出筷子按住了，说，这鱼头没肉，我吃，你们多吃好肉！

儿子和媳妇都僵住。

方大妈觉得气氛有点不对头，却不知哪里不对。儿媳生孩子的时候，她正在乡下闹病，没能来伺候月子，这是她第一次来城里的儿子家，一切都生分的缘故吧。转而，她心安理得地吃起碗里的边角料，这是她的老习惯了，逢年过节，好不容易杀只鸡宰条鱼，她都是把纯肉往丈夫孩子的碗里夹，自己来处理边角料。

孙女很快吃饱了，媳妇也离开饭桌陪孩子写作业。

方大妈悄声问儿子：你媳妇好像不高兴，我做错什么了？儿子勉强笑笑说，没什么，妈。方大妈不信：你得告诉我，我可不想来城里住几天，惹得媳妇不高兴。

儿子犹豫了一下，说道：妈，那鸡头鸡爪鱼头鱼尾，是你儿媳最喜欢吃的，你以后就吃好肉吧，你一辈子都没吃上好肉。方大妈困惑地看着儿子。那鸡头鱼头有啥吃的？儿子说，妈，你不懂，现在城里人都好这一口儿，有人还专门喜欢吃鸡屁股呢，谁还吃那死肉啊，像干柴，你不懂，鱼头吃了聪明……

方大妈愣愣地看着窗外的红红绿绿，心想，这就是城市啊。

方大妈在饭桌边落了座，心情相当不错。这是她从城里回到乡下小儿子家的第一顿饭，主打菜是清炖农家土鸡和红烧草鱼。鸡和鱼是她路过集市自己买回的，用的是大儿子给的钱。小儿子一家三口都高兴，因为有一桌子好吃的，因为吃得少干得多的老太太又回来了。

方大妈一口气把两个鸡腿和两个鸡翅，都夹到孙子的碗里，天下的小孩都喜欢吃这两个部位。儿子媳妇都高兴。方大妈看看孙子吃得香，满意地笑了。

接着，小儿媳夹了一块无骨的纯鸡肉往自己嘴里送，方大妈忽然想起了城里的大儿媳，人家那脸蛋儿滋润白嫩，紧实实的，显得比小儿媳年轻多了。大儿媳的话还在耳边，大意是说鸡爪和猪蹄一样，含有什么胶质的东西，晚上吃了能美容。于是，她夹了一个鸡爪放到小儿媳的碗里。来，你也吃个鸡爪，能美容哩。

小儿媳的话里含着不满加不屑。美容，吃个鸡爪就能美容？她把鸡爪又扔回盘子里。方大妈尴尬地笑笑，把鸡爪夹回自己的碗里。小儿子也不解地看着妈。她只得按老习惯，把鸡头和另一个鸡爪都夹到自己碗里，说，你们多吃好肉，我在城里吃过了。

方大妈吃着碗里的边角料，本来还想讲讲城里的光景和见闻，可觉得桌上的气氛冷了下来，也不敢开口了。小儿子为了调节气氛，主动找话，问起哥哥的情况，方大妈就说起了大儿子，说着说着，心里的云就开了，忘了刚才的尴尬，见孙子夹了一块鱼背上的整肉往嘴里塞，忽然想起在城里学到的知识，吃鱼头聪明啊，大儿媳不但自己吃鱼头，还劝着孩子吃鱼头里的脑子呢。方大妈就说，傻孙子，城里的人才不吃鱼背上的肉呢，那是死肉，没啥吃头，你吃鱼头吧，吃鱼头聪明，学习好。方大妈说着就用筷子去往下拧鱼头。

儿子媳妇一同愣眼看着方大妈，待鱼头落进孙子碗里，小儿媳先醒过来，满脸不高兴，夹起那个鱼头就扔到地上喂了猫，拉起孩子看电视去了。

方大妈和儿子四目相对，两边都是淡淡的云雾。小儿子说，妈，你变了，去城里几天啊，学了些什么乱七八糟的东西！小儿子到一旁抽烟去了。

方大妈愣愣地看着窗外漆黑的夜色，心想，村里真是静啊，还像从前一样只有狗叫。

会花就叫赚

〇冬　亥

休完产假，老婆却并没有复出的打算，跟我商量着索性就在家当个全职太太吧。我断然回绝：“不行。我在外面光挣不花，你在家里光花不挣，世界上哪有这样的美差。”老婆不服气：“别心疼我花钱好不好？让你花你还不见得会花呢。从经济学上分析，省钱与挣钱是异曲同工的。”

本以为这事说说也就算了，没想到老婆还真把工作给辞了，并找出若干理论来辅助说明：“100 块钱的东西我 50 就能买到，从经济学上分析，就等于你挣了 50，我挣了 50，咱们两个对家里作的贡献同样大。更何况，花钱往往不只是消费，还是投资。你瞧，当年黄金 80 块钱一克的时候我置办的首饰，到现在已经升到两三百一克了，既赚了漂亮，还赚到了钱。还有房子，当年不是我坚持一定要买大房子，你怎么可能做到现在的固定资产达百万。”

老婆拿着计算器算了一阵儿，得出结论：“这些年来你挣工资挣了不到 30 万，而我花钱却赚到了 70 万。”

见我想张嘴反驳，老婆马上抛出第二轮攻击波：“即使我在家里带孩子，其实也是挣钱。你想想啊，培养出一个好孩子，保姆费省了，择校费省了，家教费省了，复读费省了，甚至工作以后还会因为受到过良好教育而工资翻番，从长远来看，其价值无可估算！”

明明都是歪理，但还真不太好辩驳。好不容易我才想明白其中的理论缺陷："你所谓的挣钱，都是秋后算账算出来的，不算数。有本事你当天就赚出个万儿八千的给我看看，我就彻底服了你，你想全职就全职，想居家就居家。"

本以为这一招杀手锏足以把她打蔫，没想到第二天她就给我打来了电话："亲爱的，我承认自己没有一天赚一万的本事，不过现在有机会一下子赚3000，赚不赚?"一下子赚3000？那也是天降横财啊："还犹豫什么？赚!"

下班的时候我买了猪肉买了鲜鱼买了菜买了花，亲自下厨做饭庆祝老婆的暴发，把她伺候得酒足饭饱了才赔着笑脸问："你赚的钱呢？拿出来让咱也开开眼。"只见老婆笑嘻嘻地从卧室里拿出件皮衣来："原价8000，我不到5000块钱就给买下来了——净赚3000还多。"

我的情绪一落千丈，没好气地揶揄她："你怎么不一下子买四件，收入不就超过一万了?"老婆很谦虚地低眉顺眼道："你的信用卡最多只可以透支5000。"

信　任

〇孙道荣

暑假我和儿子到西安旅游。为了游玩方便，我准备包辆车。在西安火车站，我找了一辆揽客的小车，司机开价150元。没想到价钱这么低，我毫不犹豫就答应了。

一路上，司机很热情地向我们介绍临潼的各个景点，建议我们上午游览骊山，下午参观兵马俑。

车一直开到骊山脚下。下车的时候，我问司机，要不要先预付押金？

司机摆摆手说："大哥，不用，我相信你。我就在门口等你们，你们玩好了，我再送你们去看兵马俑。你记下我的手机号，出来时要是找不到我，就打我手机。"

我笑笑，没想到他这么信任我们。他报了一个号码，我输入手机，想了想，摁了拨出键。他的手机响了，这样，我的号码也留在了他的手机上。

我和儿子进山了。经过鸟语花香的鸟园，我们冒着烈日，向山顶攀登。从烽火台下来，有一个岔路口，一个方向指着兵谏亭，一个方向指着老君殿，我们选择了兵谏亭方向。

从兵谏亭出来，就到了出口。我一看，傻眼了，这不是我们进山时的大门啊。问工作人员，工作人员说骊山有两个山门，相距几公里。

山门口候客的出租车司机，纷纷向我们招手。我给司机打了个电话，他说："大哥，别急，我马上过来接你们。"

过了一会儿，司机开着车赶了过来。我歉意地说走错山门了。他却连声谢我。我明白他的意思——如果我从这个山门打别的车走了，他今天可就亏大了。

司机又将我们送到了兵马俑博物馆入口不远处。我以为这次他要让我先把车费付了，没想到他还是只字未提。我也索性不提这茬儿。

参观了两个多小时，我和儿子恋恋不舍地从兵马俑博物馆走出来。路过停车场，见到好多发往西安的公交车，其中一辆车正要离站。我忽然恶作剧地想，如果我带着儿子跳上这辆公交车回西安，那个司机可就惨了。不知道此刻儿子怎么想。

我当然不会真的这么干。在一排排汽车里，我找到了我们包的那辆车。

在回西安的路上，我终于忍不住，问司机："今天我有两次机会可以乘别的车走，那样的话，你今天可就白干了。我不明白，你为什么这么相信我?"

他扭头看了我一眼，坚定地说："大哥，你不是那种人!"

我笑着说："你不能光凭感觉就相信别人。"

他指指坐在我身边的儿子，"再说，你带着孩子，这么乖的孩子，你会当着他的面欺骗别人吗?"

他说得对，虽然我偶尔也难抵一些本能的诱惑，但在自己的孩子面前，我会尽量表现出高尚、正派的一面，我得给他做出榜样。

"其实，大哥，今天与其说是相信你，不如说是相信你的孩子。"

我奇怪地问他缘故。

他说："早上你在和我谈价格的时候，我注意到你儿子的手上拿着一个塑料袋，是刚吃过早点吧。我看见他一直捏在手上，直到找到了一个垃圾筒投进去。就冲这点，大哥，我相信你们。"

这是我没有想到的。我感慨地对他说，正是因为你的信任，我们才更不会溜走啊。

车到西安，我付给他车钱，他接过钱，对着天空照了照。忽然，意识到了什么，他不好意思地说："对不起，习惯成自然了。"

在这个信任越来越稀缺的年代，一个陌生的司机如此信任我们，让我在我的未成年的孩子面前，感受到了被人信任的尊严，同时也向我的孩子传递了一次信任的力量。

谢谢你，陌生的朋友。

现在开始倒计时

○张国柱

工地上立着工期倒计时、安全生产竞赛倒计时等好多倒计时牌，队长说它们起提醒和警示作用，小工二木负责每天更换牌上的数字。

工棚是一溜待拆的旧教室，工友们收工后大都待在这里：扑克打厌了，老牛吹完了，黄段子听烦了，喝酒没钱了，就有些无聊了。

那天二木和三虎打赌，三虎输了，答应月底发工资时请二木喝酒。二木一高兴，就在工棚内的黑板上画了个倒计时牌：离三虎请客还有 11 天。工友们发现这倒是个解闷的好方法，便纷纷效仿。

工友们都是俗事，计时就比较宽泛，但每人都满怀喜悦和憧憬。

大李的倒计时牌是：离儿子会走路还有 5 个月。想到胖乎乎的儿子，大李脸上的笑就落到脚面子上。

老王的倒计时牌是：离女儿出嫁还有 3 个月。想到女儿出嫁时披红挂绿的样子，老王的眼睛就眯起来了。

大毛的倒计时牌是：离新房动工还有 6 个月。其实那幢结实气派的新房子，早在大毛心里建了好多年了……

一个倒计时牌就是一个温馨的故事。工友们一有空闲就凑到黑板前，七嘴八舌，追问着每个倒计时牌后的故事，嘻嘻哈哈，共同分享着幸福和快乐。于是这些牌下又有了“祝福”、“加油”、“馋得慌”等的留言。

也有匿名的倒计时牌：离和老婆上床还有 3 周。引发的笑声就更多，留言也更多：我还有一周、我还没老婆呢、注意影响等。

还有编造的：离大毛请客还有3天。大毛就笑骂：哪个馋鬼糟践我呀，工资还没影呢？

黑板上的倒计时牌层层叠叠，工棚中的快乐也层层叠叠。

但快乐慢慢就少了：眼看着那些倒计时牌的数字一天比一天少，工资就是没有动静。队长总是说，快了，快了，工程款拨下来就发。

工人们眼直了，心焦了，工资还是没影儿。

这天晚上，二木抹着眼泪，重新画了块倒计时牌：离妹妹开学还有48天。二木妹妹还等着交学费呢！大李接过了粉笔：离娘出院还有9天。他们还欠着住院费呢！四栓也趴到了黑板前：离定亲还有32天。交不上彩礼钱，亲事怕要吹，四栓都28岁了！

工棚里沉闷下来，工友们再到黑板前时，都只叹气不说话。

那天工友们收工回来，发现黑板上多了块大大的倒计时牌："离发工资还有10000年"。这牌更像10000块石头，硌得人心疼疼的。

两天后，工地上来了一大群人，说是区长来检查工作。日程安排得很细，连中午到工棚慰问工人都安排好了。但当一群人看到黑板上的倒计时牌后，都不言语了。区长沉着脸对随行人员看了又看，有几个人低下了头。

黑板前面竟然有抹布和粉笔。区长拨开随行人员的手，亲手把"10000年"改为"1天"，然后回过头来说：现在开始倒计时，能做到吗？随行人员异口同声：能！能！保证！保证！

队长接过区长手里的粉笔，在"1天"后面又加上一句话：离下次发工资时间还有30天。并大声说：二木，这数还是由你来换。

工友们欢呼起来，一群人也鼓起掌来。第二天，工友们果然拿到了工资。

这个"10000年"的倒计时牌是谁画的呢？老王挨个问，工友们谁也不承认。队长笑了：别问了，是我，其实我三年前还是个小泥工呢！

看着工友们愣愣的眼神，队长叹一口气：没办法呀！我腿都跑细了，开发商就是不拨款，我只好耍了这么个小心眼。要不，区长不白来咱工棚了吗？

工友们又鼓掌，队长摆摆手：先别鼓掌，想想工地上"主体完工倒计时牌"还有几天？好多工友脸红了：这些天他们一直在消极怠工呢！大李走到黑板前，又画了个倒计时牌：离主体完工还有22天。这时间比工地的倒记时牌时间整整提前了10天。

事情到这里好像还没有完。又过了几天，工友们发现，工地大门边竖了一个大大的"农民工工资发放倒计时牌"，边上还有一些"规定"、"办法"、"责任人"什么的。工友们估计，每个工地都应该有这样的牌子吧，因为牌子的右下角有统一编号呢！

你妈妈喊你回家吃饭

○王娟娟

“贾君鹏，你妈妈喊你回家吃饭。”这句话，是我从六岁起，最想听到的一句话。

那时候，正是贪玩的年龄。一群小伙伴儿到一起，不疯得天昏地暗哪行。于是捉迷藏的捉迷藏，掏鸟蛋的掏鸟蛋，忙活得忘记了饥饿。到了吃饭时间，村子里会横七竖八布满大人喊孩子回家吃饭的声音。听话的孩子一溜烟跑回家，匆匆扒完饭飞奔回来时，还不忘抹着嘴角的饭粒，给仍在疯玩的伙伴捎个口信：韩小元，你妈妈喊你回家吃饭。

那些玩兴正浓的孩子，是不乐意听到这句话的，因为听到这句话，就意味着不能再玩下去了。没有人知道，我对这句话有多么的梦寐以求。

因为我只能是那个给别人捎信的孩子。因为我妈妈是个哑巴。

我家院门前有棵大槐树。每到吃饭时间，村里人总爱三三两两端着饭碗来到大槐树下，边吃饭边聊些家长里短的事儿。我妈总爱在这样的时刻，从院子里跑出来，嘴里啊啊呀呀个不停，还手舞足蹈的。即使我爸将院门锁上，一到饭点，她也还是会爬上墙头，照旧在人多时刻发作一番。

我妈的出场，总会引得人们哄笑起来，而小孩子们，则被吓得哇哇大叫，连蹦带跳逃得远远的。看到我，会大老远地朝我嚷嚷，贾君鹏，你妈又在发疯了。

因为我妈，捉迷藏时，我只能是那个被十几个人围追堵截的；掏鸟蛋时，我也只能是那个蹲在树下让人踩着肩膀往上爬的……

很多时候，我都会怀念我的外公。外公去世前，在镇供销社工作，因为他，我们家境还是殷实的。他时不时地带给我大白兔奶糖，我可以用这些大白兔奶糖，讨得小伙伴们的欢心。

长大后我才知道，我爸之所以会娶我妈，也是图着这份殷实的家境。在这之前，我爸只是一个从深山里出来讨生活的货担郎。

我爸不爱我妈，也是不屑和我妈培养爱情的。尤其是在我外公外婆相继去世之后。

终于在我八岁那年，有一天，我爸忽然把我拽到屋里，小心翼翼地问，给你找个新妈好不好。

我知道那是什么意思。那时候我爸的货郎担子已经沉甸了很多。我从村子里走过时，常常会遇到上了年纪的老人拽着我说，君鹏，你爸要给你找后妈，你可别答应啊，后妈一来你妈和你可就苦了。

我不怕苦。我只是问，爸，后妈是哑巴吗？得到我爸否定的答案后，我说，行。

我那时满脑子想的，就是终于可以听到别人对我说“贾君鹏，你妈妈喊你回家吃饭”了。

我爸很快就给我找了个新妈。他把我妈的铺盖卷儿扔进了院子里破败不堪的茅草屋。

我几乎是掰着指头数到了我爸结婚那天。村子里的老人们坐在大槐树下，议论着我和我妈妈以后的生活，把头都快摇掉了。我没空听这些，憧憬着那将会听到的呼唤，一次次咧开了小嘴。

再到吃饭的时候，我终于听到村子里响起自己的名字了。我的新妈扯着嗓子喊，贾君鹏，贾君鹏。

我故意不回家。等着韩小元他们飞奔过来对我说，贾君鹏，你妈妈喊你回家吃饭。可我等来的，是拿着细柳条怒气冲冲的新妈。

忘了说了，我们村有很多柳树。村里的小孩都知道，柳条越细，打得越疼。

那天以后，我不再对那句话有任何幻想。

不久，我开始上学了。而我妈，也很少再发疯。却是苍老得很快。我不知道这是为什么，直到有一天放学时，我看到我爸的拳头砸在了我妈身上。那个女人在一旁数落着，大抵是些我妈总是头发蓬松，上面还挂着几根稻草的样子让她讨厌的话。

没过几年，我妈就得病死了。我也开始上中学，住校。接着就是高考。考上大学后，我再也没回去过。我在城市里工作，成家……我把那些关于村子，尤其是关于母亲的记忆，当做一本不怎么样的书，合上后就束之高阁，不曾拿下来翻阅过。

直到我自己当了父亲。直到那天。

那是个周末。妻的学生乐乐在我家补课。妻因为上火，舌尖溃疡了一大片，难受得直咽口水，就在客厅看乐乐写作业。我做好饭菜，来叫妻吃饭。妻却不动，拍拍乐乐，开始呜呜啦啦地说些什么，还挥舞着双手比划着，最后实在是比划不清了，就忍着痛说，乐乐，帮我去隔壁叫小曼回来吃饭吧。接着乐乐就跑了出去。我听到她在外面喊，贾小曼，你妈妈喊你回家吃饭。

突然间，我的胸口仿佛压了一座大山般闷不透风。妻子呜呜啦啦含混不清连比带划的样子随着这十二个字在我的脑海里变得无比清晰，和我儿时记忆里的画面重叠在一起。

耳边不断响起“贾君鹏，你妈妈喊你回家吃饭”的声音。这声音，有韩小元的，有游小睿的，还有张大爷、王大婶和李大妈他们的。只不过他们说的是，贾君鹏，你妈又在发疯了。

我这才知道，原来我是听到过我妈妈喊我回家吃饭的，并且无数次地听到过。所有人都知道她是个哑巴，却都忽略了她也是一个母亲。

我想要怒放的生命

〇边　草

一九九六年八月，老木拎着一只藤做的箱子，走进或西小学的校门。老木是我的师范同学，三年的同桌加上下铺，情分不浅。毕业那天，我们一起聚餐，喝酒，摔酒瓶子，最后都泪流满面，一起唱着张学友的《祝福》，在宿舍空荡荡的墙壁上写下诗句：天亮前／再次出发／我在思量／要你给我怎样的祝福／我才会心安理得……

那时，老木爱写诗，虽然我一直要打击她，写的诗还不如她画的画，画的画还不如她唱的歌。但她依然乐此不疲。一次老木跟我说，她迷上了一个诗人，梦想着有一天，能与诗人共进午餐，然后一起朗诵诗歌。地点嘛，最好能在一个开满紫藤花的露天餐厅里，小提琴的伴奏是必不可少的。

老木就是这样整天想入非非，目光迷离，花枝招展。

关于老木，当时的校园里流传着她的很多故事。最有意思的一个版本是，有一年夏天，春心大发的老木终于接受了隔壁班一位男生的邀请，一起在周六晚上“夜游”。所谓的“夜游”，就是在我们小城的一条江边一起散步。结果，我们的政教处主任打着手电，“逮”着了坐在灌木丛深处的老木和那个羞涩的男生。

其实，我们什么都没做，就坐在那里木头木脑的，喂蚊子。老木事后告诉我。他连手都不敢牵我一下。老木颇为遗憾。她的所谓初恋，在政教处主任的“恶政”之下，惨败得连一滴血都见不着。那个男生，此后再也没有露面。而老木，在冲进政教室与那个秃顶主任一番舌战之后，成功地名扬校园，并由此推动了校园恋爱风气的进一步开放。

这么美丽的青春，怎么可以没有爱情？老木一直对此事耿耿于怀。

毕业后的老木，自然还是有许多故事可歌可泣。美丽的老木，青春的老木，穿着花裙子在校园里招摇，带着一帮还流着鼻涕的一年级新生，在操场上玩“老鹰捉小鸡”。老木很快就厌倦了这种平淡的生活。于是在任教三年后，她成功地请到一年的“病假”，飞到大西北，去找她的诗人去了。老木说，我知道现在的诗人在北京，但他的诗句，在大西北。

老木神游甘肃、青海等地，风尘仆仆，边走边在心头默念：向鱼问水／向马问路／向神佛打听我一生的出处／而我呀／我是疼在谁心头的一抔尘土……当老木再次出现在我面前时，整一个黑炭美人。而老木的目光却变成了宁静如水。老木说，我回来了。我不知道说的是她的人，还是她的心。

归来后的老木从此安心任教，再也没有写过什么酸溜溜的诗。老木说，孩子，就是最好的诗歌。

老木很快就在当地教坛脱颖而出。老木给我写信，说道，春天来的时候，操场边上盛开着一树树桃花，我和孩子们在树下盘腿而坐，朗读课文……看看，老木连上课，都这么与众不同。老木还说，看着桃花开开落落，我想，我想要一个男人了。

那时，我早已结婚，每天灰头灰脸，忙于柴米油盐。而我们的老木，她说，她想要一个男人了。

想要她的男人不是没有，但老木说，是她想要一个男人了。但那个男人，似乎还未在世上出现过。

老木啊，中诗歌的毒太深。

老木还没来得及等到她的男人出现，老木倒下了。在医院里，我见到她躺在床上，脸上插着许多管子。病房里摆满了五颜六色的千纸鹤，都是孩子们折的。我去时，许多孩子在门外翘首盼望。他们中的许多，都在流泪。

只有我知道，老木从来没想过要当个英雄。她后半辈子的理想，只想要个男人，一个懂诗的男人。但在那辆卡车飞驰过来的那一刻，她飞了过去，救下了三个孩子。

老木在病床上躺了三天，安静地离去。

许多年后，我听到汪峰的歌：我想要怒放的生命／就像飞翔在辽阔天空／就像穿行在无边的旷野／拥有挣脱一切的力量……再次泪流满面。我想起老木题在墙上的那句诗歌：我在思量／要你给我怎样的祝福／我才会心安理得……我想起老木在最后时光里给我的那个微笑，散发着迷人的光泽。

还是她的学生，最懂她。三个孩子当中的一个，在一篇作文里写道，我们的老师，就像一首诗。

胆结石是这样诞生的

〇鲤鱼晓

穷乡僻壤的父母吃糠咽菜，供我读完五年大学，又东奔西走借了两万元甩给了头头脑脑，我才得以走上市中医院工作岗位。

等挂上听诊器，我才知道，医院都承包给个人了。政府给我定的档案工资不起作用了，我要根据看病人的多少，开药的多少，开各种检查单、化验单等等的多少来抽取提成了。

一个月下来，我没看几个病人，更没“砍”几个病人。收入300元，我回老家给父母买了200元的营养品。父亲为了我长年没吃过新鲜水果，更别说肉了。父亲的指甲都成紫色了，母亲也腰痛腿肿了。

我想这哪儿成啊？虽然觉得这种制度对刚出道的大夫很不公平，但规则面前人人平等。可是门诊里其他大夫也并不比我多看病号，但他们的工资都在2000元以上，这使我沮丧，也很纳闷儿。

一段时间后，与一些同事混熟了。B超室的大刘与我在“好再来”花了300元撮了一顿后，一拍我的肩膀，说：“我把你包装成名医吧！”我说：“怎么包装？”大刘说：“就看我的吧。”

翌日，我带一有腹痛症状的病号去做B超。大刘在诊断书上写了胆结石，私下却告诉我，病号并没患胆结石，让我随便开一些滋补的中草药，让病号吃上几个星期，再做四五次B超，让其“胆结石”从“变小”到完全“消散”，这样既能增加我的收入（自然也增加他的收入），又能显示我的“医术高明”！我沉默不语。大刘狠狠地对我说：“你不缺德就会缺钱的！”我想到父亲的指甲与母亲的腰腿，更想到他们为我念书找工作所欠下的债务，我就试一下吧。

我郑重其事地对那个病人宣布：“你得胆结石了。”我提起笔，说：“我给你开几剂草药吧。”这哥们儿接过处方，一脸不可思议地捂着肚皮，道：“哎！我怎么得了这种病？”大刘踱过来，说：“你不要害怕，我们万大夫，已经治好了好几个胆结石病人呢！”这哥们儿脸上马上出现了曙光，急忙小跑着去抓药了。

这哥们儿再回来复诊的时候，大刘的B超报告单说结石小了。这哥们儿又欢天喜地地抓了10剂草药。第三回，B超报告单就说结石基本消失了。他被我的滋阴壮阳药滋补得俯在我耳边说：“万大夫，你这药可真管用啊，排石头（结石）一点感觉都没有，嘿嘿，浑身倍儿轻！”我笑了笑又把一张五六百元的草药方递给了他，说：“那就再巩固巩固吧！”

这一年，我与大刘策划了25个“胆结石”患者。有5个病人给我送来了锦旗，6个病人给医院写来了感谢信。有一个被我治“好”的“胆结石”患者，是一个米贩子，对我又握手又拥抱的，竟欢天喜地送了我1000斤大米。在我把这1000斤大米吃掉三分之一的时候，我已经是著名的“胆结石专家”了。真正的胆结石患者也慕名而来了。当然治愈率是极低的。

一天，我的肚子忽然痛了起来。我找到了大刘说：“你给我‘超’一下吧！”大刘给我“超”完，一脸的复杂，说：“哥们儿，你得胆结石了。”我笑得肚子都不痛了，说：“老哥，别整这一套了。”可大刘说：“兄弟，我撒谎是狗娘养的。你确实是——胆结石。”

晚上，我在家里眉头锁着双脚跳动着，我知道跳动有利于排石。看到本市新闻说有关部门查处了一批劣质大米，说长期吃此大米会引起胆结石等病症。那受审的米贩子看上去很面熟——呀，就是给我送1000斤大米的主儿啊！

街　坊

○肖建国

红花口是一个不起眼的小镇。镇政府后面有两条街，两条街的交叉处，住有两户人家，靠手艺吃饭。东边的叫洪老三，修自行车为生。西边的方士仁，专门做皮鞋。

两家都来自同一个省份，互称老乡，很亲热，走得也很近。

方士仁能在红花口安营扎寨，多亏洪老三。

那年方士仁听说南方皮鞋生意好做，就带着老婆来红花口找点商机。不想在火车上被人拎了包，不但丢了钱，还丢了所有的证件。到红花口后，经老乡介绍，认识了洪老三。

洪老三以前是一家国营机械厂的技术员。车床、刨床、铣床样样精通，因参与制造假钢印坐了牢。出狱后，无颜待在家乡，就随打工大军来到南方这个小镇。

洪老三修单车，代办假证，日子过得还顺畅。办假证，他有自己的原则，假证一定要“真”。这话让老乡们听起来很搞笑。洪老三解释说，就是真人真事，只不过真的证件丢了，为解一时之急，才办假的。其他的，比如不是记者的办假记者证，不是军人的办假军官证之类，免谈。

方士仁找洪老三就是要办假身份证，没有身份证，他开不了店。方士仁来时，正赶上洪老三修车高峰期，补胎的、充气的、校圈的、换零件的，嘈杂一片。方士仁是手艺人，眼里有活儿，见洪老三忙，赶紧挽起袖子打打下手。这就给洪老三一个很好的印象。

有老乡作证，洪老三只用了一天工夫就给方士仁办好了假身份证。方士仁一看，这假的简直跟真的一模一样。方士仁心里当时就一动，想跟洪老三学办假证。这玩意儿来钱容易，有市场。洪老三把头摇得像拨浪鼓一样，连说不可不可，这是违法的事呢。

方士仁想，求财不能性急，要慢慢来。于是就在洪老三档口的旁边租了一间房，由洪老三担保，免收押金，开起制鞋店来。

两个老乡聚在一起，自然是无话不谈。生意不忙时，各炒一个小菜，凑在一起就喝酒。

但只要方士仁问到办假证的事，洪老三就缄口不语。方士仁说，老乡，这是市场经济，有钱大家赚，你告诉我一些门道，我帮你去拉生意。

洪老三只是摇头。方士仁心里就不愉快，暗骂洪老三吃独食。

转眼，一年就过去了。方士仁的儿子方猛从内地来红花口打工。方猛17岁，爱吃爱穿爱玩。方士仁托人给方猛找了一份在银行干保安的工作。但人家的条件比较高，一要高中毕业，二要是退伍军人。

晚上，方士仁把洪老三请到家里，先喝酒后讲话。方士仁说，老乡，这是关系到孩子前途的事，你一定要帮帮忙。就两个假证，要多少钱都行。方猛也过来敬酒，左一个大叔右一个大叔地叫，叫得洪老三不应承下来心里就如同犯罪一般。

这时候，有位客人来取皮鞋，掏钱时不小心掉落了一张百元钞。方猛看见后，忙走过去，装着拿鞋盒，一脚踏在钱上再也不肯转身。等客人离去，抓起钱塞进了自己的口袋。这一幕被方士仁和洪老三都瞧得清清楚楚。方士仁没言语，继续劝洪老三喝酒。

回到家里，洪老三翻来覆去一夜没睡好。

第二天，方士仁来取证件，洪老三吞吞吐吐地说做不了。方士仁急了，问，为啥啊？洪老三说，老乡啊，银行那地方不是一般人能待的，你儿子确实没那个材料，最好别去，我是怕他去了反而害了他。

一席话气得方士仁差点没把唾沫吐到洪老三脸上。死了你张屠户，难道我还吃带毛猪！方士仁又找了另一家办假证的，没几天，方猛就到银行上班了。从此，方士仁再也不理洪老三。

几个月后，方猛果然出事。这小子竟和几个人合谋抢劫储户，被警察抓个正着。洪老三得知这一情况后，赶紧去安慰方士仁。看到洪老三，方士仁脸都是青的，双眼散发出冰冷的光。洪老三刚想开口说几句宽心的话，方士仁已不耐烦地挥挥手，你走吧，我们家再也不想听到你的乌鸦声。

洪老三脸部肌肉一阵痉挛，转身慢慢走回自己的档口。

次日，洪老三正忙的时候，忽然来了两名警察。警察说，你是洪老三吧？你涉嫌造假证，请跟我们走一趟。警察边说边亮出了一张身份证，上面微微笑着的头像正是方士仁。

花 紫

○郝志华

她叫花紫。她有个漂亮的名字，人长得比名字还要漂亮。

花紫的爸爸是民营企业家，事业红红火火蓬蓬勃勃蒸蒸日上。

花紫的爸爸完全可以轻轻松松地让他的宝贝女儿过上无忧无虑在同龄和不同龄的人看来都可以说是心想事成的日子。

叫人羡慕的花紫本应是没有烦恼的。但花紫确实有她的烦恼。花紫的烦恼是父亲的光环有时候也刺得她眼痛。

于是，花紫就想出去，离开这个阳光灿烂的城市里面的阳光灿烂的生活一段时间，到外面去淋一场雨，哪怕是一场透湿的雨。花紫想，自己还年轻，年轻不是乘凉的时候，而应该去栽树。

花紫给父亲留下了一张纸条就走了，花紫去了南方。到南方的第一天，花紫就看了一场意外的太阳雨，花紫很激动。

在南方的一家公司里，花紫做了一名文员。花紫人漂亮，做事也漂亮，在老板和工友的眼睛里面，花紫都是属于那类很有前途的女孩子。

花紫把自己的宿舍布置得很雅静，花紫的宿舍和花紫一样讨人喜欢，很有生气。常有工友来造访，有女的，更有男的。那些男的脸上安静心里不安静，面对漂亮聪明的花紫，那也是情理之中的事情。

花紫在南方是不谈爱情的。花紫有男朋友，男朋友不在南方，在哪里花紫没说。花紫的男朋友端端地站在花紫的房间里——房间里的墙上——

墙上的镜框里，着一身警服，旁边还立着一条虎视眈眈的警犬，威风得一塌糊涂。这样一来，公司上下都知道，花紫的男朋友是名警官。

警官的女朋友，是很少有人骚扰的，没有人骚扰的花紫静下心来，为公司做了几件不同凡响、让人瞠目结舌的业务，真令人刮目相看。两年后，花紫就出任了一家分公司的老总，成了一方女诸侯。

再漂亮的女人和时间较量一番之后，都是经不起掐指一算的，花紫也一样。成了一方诸侯的花紫，这一年掐指一算把自己也吓了一跳——再过35天就是自己31岁的生日了。

阿紫在过31岁生日的派对上，和那个海龟（归）认识了。郎有情妹有意的两人感觉都到位，于是就处起了对象。虽然事业不同，但是目标一致，两个人就入港很快。

有闺中好友问花紫，那个警官哥哥你打算怎么处理，小心他旁边的警犬逮着你咬一口。花紫就笑了，那个警官管我什么事，那只是一张电脑合成的照片而已。

花紫笑得像花一样。

看着如花一样的笑容灿烂的花紫，那些曾经对花紫心存企图而又不敢付诸实践的男人们却有了一种咬了舌头痛还不能说的感觉，只是觉得花紫太有心计了。

其实，花紫并不是一个很有心计的女人，只是那个时候花紫确实想做一些事情而已。旁人和花紫自己都不得不承认，那个虚拟的警察哥哥的的确确为花紫赢得了两年的时光，打下了事业的基础。

花紫现在已经是个叱咤商场的女老板了，花紫的公司成长很快，而且还在成长。

花紫不喜欢人家叫她女强人。

花紫说，我只是一个女人，一个想栽一些树的女人。

四芽儿

○赵长春

人们对四芽儿的认可度或者信任度越来越低是近二十年来的事情。

人们是指袁店河上下的乡亲们。四芽儿是老中医杨四。

四芽儿很早就入过县志，当在乾隆年间。四芽儿能入县志是杨四的爷的爷的爷的爷的爷的功劳。那时候，四芽儿是一味中药。传承久了，袁店河上下的乡亲们就把祖传的杨氏中医的坐堂先儿袁店河俗语，称医生为“先儿”，尊称为“四芽儿”。

现在，杨氏中医的坐堂先儿就是杨四，人们依然走老辈子的称呼：四芽儿。杨四行四，“四芽儿”用袁店河的儿化音去读的话，又有“四爷”的味道。杨四听着很受用。

可是，人们对四芽儿的认可度或者信任度越来越低，特别是这些年来。

杨氏中医可谓祖传，专治跌打损伤。二三百年来，其闻名袁店河上下最关键的就是四芽儿，辅以大蒜汁、雄黄酒冲饮下，活血行血，补气理气，不用刀锯不上夹板不动筋脉，半月二十天即好，打破了“伤筋动骨一百天”的传统俗念。所以，南阳、信阳、老河口、武当山等地都有人来求药，甚至白马寺、黄塔寺的正骨传人也来袁店河拜过四芽儿。

四芽儿无非是黄豆芽、绿豆芽、黑豆芽、红豆芽，根须及豆瓣齐全，芽叶儿刚抿开嘴，泛出浅青色最佳。将这四样芽儿黄绿黑红左右依次排在一厚的百年老瓦上，搁于阴凉通风处三日，置于向阳通风处三日，再用铁锅下燃松针焙干，碾末儿，和以松香成圆丸，如蚁；另选紫皮独头大蒜三，切之为片，晾一刻，石臼中捣烂取汁，滴入雄黄酒中——酒也有讲究，袁店河特产的小米“袁店黄”酿制的黄酒，雄黄入之，时间愈久愈佳——以此为冲剂，将“四芽儿”丸服下，隔三日一次，一次一丸，半月至多二十天，哪怕双腿摔断，亦能下床行走自理乃至正常生活，甚至可再打柴采药于罗汉山上！

当然，这是有些年头的事情了。现在，四芽儿的药效大不如前。

就有了各种传闻。最多的是杨四未能得到四芽儿真传。杨氏中医传男不传女，并且只传长房长孙，辈辈绵延。而到了杨四一代，没有传于杨老大，就是一件怪罕的事。对此，后来在省城做官而赋闲回乡的杨老大说，自己早早地参加共产党闹革命了；老二吸大烟；老三跑了汉口；传于老四是最正确的选择。

人们还是不信。因为杨四是二房的二子，行四。老杨四芽儿到底是舍不得将祖传的秘方真谛说与杨四的。所以，杨四到底不是人们心目中真正的“四芽儿”。

对此，杨四淡然一笑，依然坐杨氏中医正堂。那堂案实在久远，紫檀木被药香浸润出了油亮的原色，闻着欣然，执着舒然。杨四最喜欢的就是这种感觉。尤其是午后，浓茶一杯，悠然展坐太师椅上。阳光从牛皮亮窗上投下来，橘黄又温暖地覆了一身，一个小觉半个时辰，很是惬意。醒来，就是和老哥们儿高文兵聊天说地，言来语去，无非是以下内容：

……该冷不冷该热不热。没有冬天了，夏天倒更像个夏天。河干了水少了喝着苦不溜丢的。看现在年轻人的德行，担当不了个啥事！山上没有好药了。都是化肥、农药喂出来的。肉不香了。啥都是吃药长大。黄豆、绿豆、黑豆、红豆都是化肥、农药催大的，能有啥药性？老时候天雨地风，自然孕育，有好药，怪病也少……

说来说去，无非是以上内容。

有件事，杨四一直埋在心里不说。他知道高文兵最想问的或者套出来的是“四芽儿”。杨四就是不说。杨四在心里告诫自己：我就是不说！

杨四在心里告诫自己就是不说的是四芽儿的来历：冬至到立春的数九天，将黄豆、绿豆、黑豆、红豆排入冬眠的癞蛤蟆口中，埋在袁店河畔向阳的湿泥窝里。半月后，癞蛤蟆嘴中长出豆芽，用竹筷子轻轻挑出……雄癞蛤蟆的四芽儿治疗女人的跌打损伤，雌癞蛤蟆的四芽儿治疗男人的跌打损伤。

杨四心里说，说也没有用，袁店河快没有水了，癞蛤蟆也没有药性了。

高文兵给杨四续上茶水，哥，明儿我还来。

一颗金子般的心

〇王小柔

冯冬笋是我认识的最会过日子的男人，此人生得肥头大耳，常年穿衬衫，而且所有扣子永远系得严严实实。本来就没脖子，被领子一勒，那大脑袋在肩膀上出现得更突然。而且由于勒得年头儿久了，脖子上有了一道一道的紫印儿，要赶上件稍微松快点儿的衬衫，他灌肠似的脖子就跟刚自杀未遂差不多。我说："你能解开一个扣吗？看着都让人觉得憋气。"他立马眼睛一眯，莫名其妙地抬起右手，摆一个夸张的造型说："我这叫守身如玉。你们女的怎么也那么色？这算调戏吧。"我狂吐！天啊，他也不往地上撒泡尿照照自已吗样，深灰色的衬衣领子都能看见一圈锃亮的油泥。最让人看不起的还不是他的车轴脖子，而是他的鞋号，一个肥胖的成年男子才穿三十七号鞋，真让人怀疑他小时候裹过小脚，要不走起路一个劲儿晃悠呢。但他有好工作垫底儿，有两处房产壮胆，可以傲视全天下未婚女性，他觉得他能找个天仙当老婆。

冯冬笋最大的爱好是存钱。他整天穿得油渍麻花的，怎么看怎么不像白领，像个炸油条的。他从来不在乎别人怎么看他，赶上一群人出去吃饭，他能很随意地抓起邻座刚抹完嘴的餐巾纸擦自己的嘴，你要"哎呀"一声，他会很仗义地盯着你，眼睛瞪得像牛眼："没事，咱俩谁跟谁！"一般情况下还会更猛烈地再在嘴上蹭几下表示跟你关系"瓷"。冯冬笋认为这叫实在，估计他心想，我不嫌你脏，多够意思。他从来不管别人是不是膈应这个，尽管是张废纸。吃完饭，他永远冷静地等着别人先掏钱，冯冬笋能在一边把免费茶喝得有滋有味的，最隆重的举动就是端着茶壶张罗倒水："满上满上，咱再说会儿话。"临了，他故意磨磨蹭蹭，把桌子上没用过的餐巾纸都收集起来，然后塞在兜里。我们对他这行为早习惯了，经常不用他自己伸手，主动就把自己剩的纸交过去了，跟随份子似的。若偶尔赶上个地方厕所没手纸，只要你跟他开口，他立刻能从裤兜里掏出一包又一包印着不同饭馆名称的餐巾纸，跟变戏法似的，带香味儿的，有印花的，你随便挑，不满意香型？换一包，立等可取，咱就是不缺货源。

冯冬笋有好工作，学历不低，积蓄殷实，能存钱，脚小点儿肚子大点儿走路喘点儿，这似乎不能算缺点，所以打光棍儿的他在婚介市场很抢手，一时间一群一群女的排队约他。那场面如同上世纪80年代买洗衣机，得托关系，还得拿号。冯冬笋以为自己是耍双节棍的周杰伦，口齿不清地给我们讲那些跟他见面女人的表现，特得意，瞳孔都放大了。他说有个女的约他晚上六点见面，他一寻思，那不是饭口吗，想占我便宜？没门儿，见面时间改七点！

终于见了面，他对那姑娘的长相身高还算满意。大晚上总不能在风口里站着，姑娘提议去金街逛逛，冯冬笋坚持坐公共汽车。车一到，他先上去了，从口袋里掏出个卡，回过头对那姑娘说："我有月票，你买你自己的吧！"我若是那姑娘，车开了都得从窗户跳下去。可人家有涵养，真跟他到了金街，俩人像巡逻似的走了一趟。好不容易冯冬笋吐口，进了肯德基，刚坐下就跟姑娘哭穷。他说："现在什么都那么贵，结婚千万别有孩子，买安全套目前就算投资，一旦失败人工流产要花钱，孩子生下来要奶粉钱，不吃奶了得交学费……如果是儿子，得考虑给他买房子；如果是女儿，得攒嫁妆。家里人不能有任何闪失，病不起啊。骑自行车也不能在外面打气，回家自己打……"人家闺女憋了一肚子火，就差把咖啡浇冯冬笋脑袋上了。那闺女也对得起他，笑着说："你要死了，骨灰盒都可以省了，捡个有钱人吃剩的月饼盒，应该装得下吧!”然后一甩头就走了，告诉介绍人吹的理由是“这人有病”。

冯冬笋觉得很委屈，因为他其实看上了那个女翻译。他一个劲儿问我：“你说吧，谁都想找颗金子般的心，怎么现在女的只认金子呢?”我说：“就没你那么哭穷的，也太专业了，跟科班出身似的。”很长一段时间冯冬笋都在跟各种单身女人周旋。女人们显得很宽容，年纪大了成了种劣势。冯冬笋可抖起来了，见得越多越不拿见面当回事。

前些日子说挣了笔钱，他又怀揣存折买了套西班牙式住宅，窗外就是罗马柱，柱子下面有三个大理石圆球，据说喷水的时候这球还会转。但自从冯冬笋住进去，那球就没转过。他可咽不下这口气，拒绝交物业费，说买那房子就为了看转球。物业给治得没辙，答应一周让球转一次。他还是不乐意，整天找物业，说欺骗业主。最后经过多次交涉，物业终于决定：星期六再加一次，一个礼拜让球转两回！冯冬笋依然不满意，说要继续交涉下去，一定要让球天天转，而且要从早转到晚，这样他的房子才显得物有所值。冯冬笋那颗金子般的心光在他的豪宅里闪光了。

别人经常问我，这么抠门儿的人你怎么还跟他交往啊?

可他经常像影子一样跟着你，三十好几了，满心觉得自己才刚到青春期，看你那眼神就意味着，又得出血请他吃饭了。好在我们这些人经过这么多年磨炼意志已经坚强了，蹭车的时候我们可以坚决不往前开把他扔路边，蹭饭的时候我们义正词严下次必须他请，冯冬笋满口答应，但他一如既往地说了不算。蹭吃蹭喝还显得义薄云天，他经常拍着自己的胸脯说：“我有一颗金子般的心。”在这句话之后，我们都觉得再跟他提钱，就显得没劲了。

北大美人

○米　子

大眼睛、大嘴巴、大鼻子的小脸美人甘惟凉漂亮得令每一个新结识的女友啧啧赞叹。校园里多少觉得自己是个美人的女生，只要一走到惟凉面前，脸上就会低眉顺眼地现出一种认祖归宗的笑，既矜持又恭敬，仿佛在向惟凉身上的所有细胞致意：“多不容易啊！你们在细胞合成的道路上辛苦了。”忌妒是这样一种势力的货色，它只袭击比它的主人略胜一筹的人。所以惟凉在忌妒的射程之外遥遥领先地漂亮着。

唉，我要是她妈就绝不会放她一个人离家北上来求学，任你是什么北大也不行。谁不知道如今的大学校园呀？一只多么美丽纯洁的小羊羔，眼看就要开始它的青春期冒险之旅了。可是话又说回来，我干吗是她妈呢？是她妈有什么好，成天提心吊胆的。

然而，最要命的是，我们的惟凉她不知道也不相信自己漂亮。她常常照镜子，在熄灯后的楼道上，就着那儿的灯光，照楼里门廊处供女生们出门整装的穿衣镜。左照照，右照照，担心自己长得不好看，配不上他。他是她一进系里就结识的学长，他英不英俊不要紧，这个年纪的男朋友关键是要有才。

老师们都说他有才，而且是可造之才，很有培养前途呀！刚进大学的小女生听到这个消息，第一反应就是这个人提前领到了北大的饭票，所以，据说有很多女孩追他，而且追他的女孩里有人既美丽又去了海外。

啊！海外！有个恋人在海外，是这个时代恋人分手时最流行也最苍凉的姿态。虽然已经互道再见，但是因为中间有海，两边就可以成为彼此对岸的梦；因为有海风，就连伤感也不再是郁闷的，而是多了几许新鲜味道。于是，失恋也失得底气十足，不同凡响。要是下次碰到的是一个无端因为待在国内就自惭形秽的女孩儿，那么甚至是上一次的失恋也要比下一次国内的热恋优越很多呢。

北大女生都很慷慨，比如我们夸惟凉漂亮的时候，她就一定会夸你聪明，原封不动地再还你一份美意。于是交谈气氛就会其乐融融，融洽得不行。至少在这一瞬间，所有的青春光彩、喧哗与骄傲，这里都有了，都在共享；至少，在今后各人的记忆里，储存着曾经的风华绝代、少年率性。未来的一切还没有展现，眼前的驿站又如此炫目，真好，好像人人都可以留在这里永奏生命的华章。

我见过惟凉的全家福，她一点也不像她爸妈，她爸妈实在是长相平平。可是，这张照片里最漂亮的人物，却不是甘惟凉，而是甘惟凉的外婆。老太太眼窝凹凹的，不化妆也很有层次，眼睛亮亮的。一看就知道是个有信仰的人。上世纪三四十年代在江南度过青春期的女子，你会相信她见过你没见过的好东西，所以她信什么，你都会信她。这种女子如果儿孙满堂，她的灵气会在第三代女孩儿的身上重新显现出来。所以父母是漂亮人物的前提下，儿女顶多也就是漂亮而已。可是外婆是漂亮人物的话，外孙女却有可能既聪明又漂亮。

很难想像一个这么漂亮的女孩子，在漫长的中学时代居然没被各种各样更为轻松的诱惑把心掳了去，却甘于和千军万马一起同赴高考这座独木桥，而且居然一马当先地以她那座城市的高考状元身份考上了北大。聪明啊聪明。

我们几个小妮子认识惟凉以后都获得了巨大的审美愉悦，忽然间变得无比慷慨起来，当面恭维，背后赞美。可是，离奇的事情发生了，任谁说什么，惟凉都是一脸茫然。不相信自己的美貌，仿佛被一道咒符控制，你再怎么围着她跺脚、长呼、叹息，她脑子里的这根弦就像沉睡的玫瑰公主一样，就是醒不过来。

唉，看来是一匹被人蒙住了眼睛的瞎马。

让马拉磨的招数世人皆知，不稀罕。可是让美女考名校的绝招有谁听说过？现在全民生活水平提高了，先天的条件再加上后天的培育，美女产量简直是在飞跃式上涨。在这样美女辈出的时代，美女家庭光是把宝押在“物以稀为贵”上显然已经不灵了。任是多美的美女，也要备齐各种软硬件才能高枕无忧呀。所以，我要在这里无偿公布惟凉一家教女有方的白金点子，听好了，我可要说啦——很简单，就是从小一直一直告诉她，你不漂亮不漂亮，No！Never！所有的伤心失落，父母要事先当面看见，照单验收，全盘掌握，好过让她以后在未知的地方、未知的人面前方寸大乱千千万万倍。

所以我们的惟凉每天背个又破又大的书包，荆钗布裙地奔出36楼女生宿舍，大步地朝图书馆、朝一教二教三教的自习室进发：因为性子急，走路一贯跌跌撞撞，两条腿非常之忙不过来。就像一个脖子上挂着价值连城的珠宝懵里懵懂穿过嘈杂闹市的天真小童，她的美令你无奈又担心，反而平添一种刻骨铭心的动人之感。

惟凉不招摇却兀自迎风招展，这是我最喜欢她的地方。她是她自己的一面旗帜，无比地精神又无比地飘逸，飘在她的北大时代。尤其是早期，那时她每一次奔出去学习都像是去赴一场惊天动地的约会。到了后来，她的情路迷离交叉，心路也逐渐纠缠不清，这时，她每次正儿八经地赴约会，看上去反倒像是去例行单调乏味的学习。

警察老逗

○郑　科

老逗是永安派出所的巡警，五十岁了，姓窦，因为平时处事机警，说话风趣，而“窦”与“逗”谐音，大家都叫他老逗。

七月的一天，老逗领着警校实习生小赵在街上巡逻，突然对讲机响了，说五一小区10号楼内有位老大爷急需帮忙，叫他们赶快过去。

他们赶到五一小区10号楼，走进楼梯间，只见一位老人在二楼楼梯口扶着一个液化气罐发呆。两人见状马上明白了咋回事，老逗上前扛起笨重的气罐问老人住几楼，老人说八楼。

老逗二话没说扛着气罐就往楼上走，老人跟在他俩屁股后面一个劲儿地说谢谢。

老逗毕竟上了年纪，上到四楼便气喘吁吁，脚步也踉跄了。小赵接过气罐，迈开步子往上登。

两人替换着把气罐背上八楼时，全身都被汗水湿透了。

到了门口，小赵扛着气罐让老人开门，老人神色有些慌张，忙说：“多谢多谢，行了行了，我自己背进去好了。”

小赵坚持说：“没事，我给你送进去。”

老人只得开了门。

门一开，老逗与小赵都愣了：屋里三男一女四个人围着桌子正热热闹闹地玩麻将，旁边还站着一个女看客，空调里的冷风“呼呼”地吹着。

小赵问："他们是谁?"

老人尴尬地说："我儿子、女儿和女婿。"

小赵瞪着眼问："怎么不叫他们扛?"

"他们忙着打麻将，叫我打110让警察来帮忙，所以……"老人说话时脸红红的，像做了亏心事的孩子。

小赵的脸腾的一下红了，要过去掀麻将桌，被老逗挡住了。

老逗收了麻将，亮出手铐，威严地说："全给我到楼梯口站好!"

老人的儿子、女儿、女婿都被老逗唬住了，乖乖站到楼梯口。老逗指着气罐对三个男人中的一个说："你过来，扛起它!"

那个男的将气罐扛起来。

"从一楼到八楼，去，五趟。"

看老逗一副要抓人的样子，那个男的扛起气罐跑了起来。

接着第二个、第三个……

三个人每人扛着气罐上下跑了五趟，回来后坐到地上直喊要命。

老逗不再说话，把气罐搬进老人的厨房放好后就下楼了。

小赵跟在老逗屁股后面直想笑，这回总算见识到了老逗的本事。

不想两人刚下楼，那三个男的又追了出来："警察同志，请等一等。"

小赵回过头没好气地说："怎么？不服气?"

"服气，服气。"三个人跑上来紧握住两位警察的手，"谢谢二位给我们上了一堂深刻的爱老敬老课!"

老逗笑了。

娶美女做太太之后

〇真由美

多数男人都梦想娶一个漂亮女人做太太。

只有极少数男人实现了这个梦想。

黄君就属于极少数的男人。抱得美人归的那晚，他哭了，是幸福的泪。

十多年后。同学聚会。

美人太太依然美丽，只是多了富态，黄君却憔悴不堪。那天喝多了，黄君哭了。后来同学们都知道了，那是苦涩的泪。

美人太太是个美人坯子，可是坯子是要保养的，所以化妆品要用高级的，每周要做一次面部和全身护理。好马还需好鞍配，衣服、鞋子、包包自然都要名牌。黄君本来在机关工作，微薄的薪水不够支付太太的置装费，美人时而娇嗔时而狮吼，令黄君危机四伏。通过不懈努力和良好人缘，黄君调到了一家新成立的上市公司，做了高管，年薪是原来的20倍。黄君松了口气。

美人有一份平常的工作，周围也都是些平常的人，拿一份平常的薪水。美人觉得自己夫荣妻贵，常以“富婆”自居，不把这些平常人放在眼里。下岗裁员时，平常人发挥了不平常的作用，他们举手表决强烈要求美人下岗。

美人被裁，哭哭啼啼。黄君只好托关系，让美人进了一家更好的单位。

这家单位有平常人也有不平常人。不平常人是一位官太太，黄君就是通过她老公的关系让美人和她成了同事。

美人在原来的单位鹤立鸡群。在这里，多了一只鹤。开始“两只鹤”好似姐妹，后来人们发现她俩已经互不理睬。原来，她们在一起喜欢互相攀比。比吃比穿之后比老公。官太太夸自己老公的权，美人夸自己老公的钱。一次，官太太不屑地说，你老公再有钱，你还不是靠我老公调进来的！美人从此不再答理官太太，吵着闹着要黄君帮她离开“那个破单位”。

三天一小吵，两天一大闹，黄君不堪其烦，又四处托关系，给美人找了个清静之地——图书馆。那里人际关系简单，一人管一个阅览室。没有竞争没有监督工作轻松，美人比较满意。黄君也认为是美人的理想归宿。

可是，没有多长时间，美人又开始烦躁了。烦躁的原因是，她无意中听见同事背后议论：她再美也人到中年了，怎么比得了年轻女孩。他老公那么能干，找个年轻女孩还不容易啊！

美人脸如下霜，回家就跟黄君闹。黄君只好发毒誓：如果我有爱别人之心遭雷击！美人不依不饶：我不信，要有行动——把我调到你们单位，这样我才放心。

黄君仰天长叹：老天，我前世做了什么孽啊？

黄君在公司海外上市工作上发挥了重要作用。公司股票海外上市后接连飘红。董事会决定重奖黄君，除了物质奖励30万美金外，有别的要求也可以提出来。会上，黄君说，能不能把我太太调进公司？见董事会成员面面相觑，黄君只好做违心解释：这些年为公司上市的事经常出差，顾不了家，太太很有意见。如果太太能进公司工作，就能够理解我了。

董事会最终同意了黄君的要求。美人现在在黄君下属一家公司做着最轻松的活儿——资料保管。上班不久，她发现很多人有事没事喜欢找她聊天儿，女的夸她漂亮穿着有品位，男的抢着帮她搞卫生打开水。美人被一片“爱心”包围着，比公司的经理都神气，心情无比愉悦。

黄君却很郁闷，他无限悲哀地发现，这么多年，他的角色一直是一个美丽寄生体的维护滋养员。

躲　避

○燕　子

离4月18日还有一个星期，他就开始做准备。那一天对他来说，是个重要的日子。

为了保险起见，他在纸上画了一张出行路线图。他改变了以往的常规路线。那些路线是明确的，一目了然的，甚至散发着一种召唤的气息。这次，他撇开了母亲家，撇开了叔叔家，撇开了大哥家，总之，撇开了所有的亲朋好友家，而直达一个偏僻的小山村。那里，住着他小学时的班主任，他的启蒙恩师。

4月18日终于来到了。这天早上，他一个人驾车，悄然出行。今天是他的生日，他要避开那些追逐他的人，安安静静地过一个属于他自己的生日。

自从当上了领导以后，生日就不再属于他了。每年的这一天，他的下属，还有那帮圈子里的人早早地就为他张罗开了。他们安排好了吃的地方，安排好了玩的地方。然后，热情万丈地等着他这个主人公出场。那时，他是全场的中心，他得恰到好处地接受众人的恭维，他得不露痕迹、不动声色地“笑纳”他本不该“笑纳”的东西。他的皮包迅速地成长起来。而他的心中，也随着生长出一丝恐慌，无可奈何的恐慌。

在这种恐慌急剧扩大时，他想到了躲避。

当又一个生日来临时，他回了母亲家。母亲对他的归来惊喜异常。随即把两枚“红蛋”塞进他的手里。原来，母亲每年都为他煮上两个鸡蛋。看着他狼吞虎咽地吃完了鸡蛋，母亲又手忙脚乱地给他下面。这碗面，是他吃的最香的一碗面，胜过任何山珍海味。可是，他的面刚吃到一半，外面马达轰鸣。随即几个人旋风般冲进来，一脸的焦急，是他的朋友。他们不由分说，把他架上了车，还有他的母亲。当他和母亲被拥入酒店时，宴会宣布开始，母亲立即升级为“老太太”，众星捧月一般。一张张笑脸在他和母亲的眼前晃动着。

第二天，他清点家中的礼品，发现竟比以往多了一倍。妻子说，那是人家孝敬老太太的。他长长地叹了口气。

后来，他在生日那天又去过叔叔家、大哥家，都被人准确无误地追踪回来。他的叔叔在他生日那天也风光了一回，不久就弄了个村主任当。他的大哥认识了他一个当经理的朋友，并很快成为经理身边的人。

他越来越怕这一天了。恐慌成了恐惧。所以，他要去一个谁也找不到的地方。

老师对他的到来并无太多的意外，也没问他为何而来。只是一遍遍地同他回忆着上学时的事，回忆着如今长大了的他的同学。

他看着老师苍白的鬓发，感叹着岁月的无情，感叹着人事的变迁。他羡慕老师这种清静悠闲的生活。

他在老师家住了一夜。睡在热乎乎的土炕上，他美美地一觉到天亮。

该走了。老师一直把他送出村口。老师说，需要的时候，就来吧。他明白了，老师的心里清清楚楚。

这个生日是他几年中最惬意的生日。他一身轻松，神清气爽。他甚至想，明年这天，还到老师家去。

他先回了家。打开门，却一下子愣在门口。客厅的地上，摆着一盒盒礼物，包装纸炫目的色彩晃得他的眼睛有些发花。

妻子埋怨道：你走了，害得人家四处找你。这不，礼物都在这儿呢。

我招待他们去了酒店，大家玩得可开心了。妻子的脸上现出得意的笑。

他靠在门框上，一下子感到疲惫不堪。

他知道，他已经无处可躲了。

阮小美的梦想地图

○琴　台

刚认识阮小美时，我对她印象还不错。一个乡下来的女孩，虽然有点儿矮，有点儿黑，可一笑起来，却有种天真和淳朴。

每天早晨5点钟，阮小美就会悄悄从上铺爬下来，一个人到阶梯教室去用功。其实，我们这种三流大学，没必要这么拼命。出于好心，我说了阮小美两次，可是，她总红着脸用蹩脚的普通话憋出一句：勤能补拙嘛。

直到这时我才知道，她用功的不是专业书，而是什么播音基础训练。

阮小美吞吞吐吐告诉我，她的理想是当一名播音员。

看着她那矮胖的身材，听着她那地方口音浓重的普通话，我憋得面孔紫红才没有爆笑出来。阮小美也太幼稚了吧，就是有一口流利标准的普通话又能怎样——长成这造型，还想出镜?

为了让阮小美死心，我找机会带阮小美去了趟北京广播学院，那里的美女帅哥简直多如过江之鲫，随便挑一个出来都能让人自惭形秽，无地自容。

没想到阮小美根本就忽视了那差距，她低着头跟在我身后，出了北京广播学院后吐出一句话：将来能找个播音员男友该多幸福，那些男孩的普通话可真好听。

我险些跌倒在地上。

可是，这个世界以声取人的并不多，所以，尽管阮小美使出了吃奶的力气去争取校园播音员的机会，还是轻易被别人拿了去。

她似乎有点儿失落，但很快就调整了自己的情绪，更刻苦地学习播音。大四后半学期，甚至自费去广播学院当了几个月的旁听生。

我们人人自危地到处找工作时，阮小美奔波在诸多电视台之间找机会。那些以貌取人的场子，不要说阮小美只有三流大学的文凭，就是清华毕业又怎样？我多次旁敲侧击地和阮小美提过，央视各个栏目组，北大毕业的美女也不过混个导播的差事。

阮小美不信。

可我相信，生活早晚会教育她。

阮小美最终落脚在一家中介公司。

中介公司在大北窑，阮小美天天四点起床，提着包去倒公交车，到公司口干舌燥说上一天，顶着一头星星疲惫地跑回来。

我无意中发现，她的案头还摆着做了密密麻麻标记的播音教材。

阮小美不提当播音员的事了，她翻着教材轻轻笑。有心栽花花不发，无心插柳柳成荫。原来，中介所那工作，她之所以能够在一帮职高生中 PK 而出，不是因为她的三本学历，而是因为她的普通话标准。

世界上果然没有白费的努力。我拍着阮小美的肩膀感慨。她笑嘻嘻地和我说，已经在大北窑附近找到出租房了。

和阮小美分开后，我陆续换过好多工作：小公司文员、草台班子业务员，甚至还做过几天快餐店的侍应生。后来，好不容易进入一家体制内单位，做个小科员，发不了财，但总算有了个铁饭碗。心里很欣慰，翻出阮小美的电话打过去，想要叙叙旧，才发现，她早就不在中介公司干了。

让人吃惊的是，阮小美现在在一家电台做 DJ。我半信半疑地在淘宝网上拍来一个收音机，午夜的节目中，果然是阮小美糯米一样香甜的声音。

那天她朗诵的是舒婷的一首诗。午夜的星光下，轻轻闭上眼睛，耳畔袅袅回荡的，是熟悉的阮小美式的希望：

对北方最初的向往 / 缘于 / 一棵木棉 / 无论旋转多远 / 都不能使她的红唇 / 触到橡树的肩膀 / 这是梦想的最后一根羽毛 / 你可以擎着它飞翔片刻 / 却不能结庐终身 / 然而大漠孤烟的精神 / 永远召唤着……

阮小美的声音这时再次轻轻响起，她好似在温柔地呢喃，可声音中的坚定又沸腾着勇气和力量：“对于很多人来说，梦想就是根会发光的羽毛，虽然无法逃避凋零的宿命，但借助它短暂的力量，我们却可以看到意料之外的光芒。这就是奋斗的魅力所在。”

那天晚上，在梦里，我再次看到了阮小美。她笑嘻嘻地坐在一根发光的羽毛上，向上，一直向上。最后，羽毛凋零了，可她的身上，却生出了一双巨大的翅膀。

出　发

○李　波

6月16日，凌晨3点。

掐灭香烟，穿起衣服，背起背囊，侦察股长蒲正雄悄无声息地走出帐篷。天还没有亮，柔和的月光洒满了映秀的部队临时营区，静谧而安详。帐篷外面的空地上，三连连长王晓鲁和20名战士坐在地上，见到他出门，大家纷纷从地上站了起来，背上同样沉重的背囊。

蒲股长心里震了一下，没有说话。点了点人头，到齐，然后转身走出了营区。战士们马上跟了上去。其他战士还在睡觉，轻微的鼾声不时从帐篷里传出，在灾区连续奋战了一个月，战士们都已经很疲惫。

今天该是个好天气。蒲股长默默地对自己说。该死的大雨已经让他们的行程被迫推迟了两天。

这条曾经的茶马古道，蒲股长已经记不得走了多少次。这位羌族股长的老家在美丽的理县桃坪羌寨，每次休假回家都要经过这条路，他几乎可以回忆起路上的每一个转弯。但这次不是回家，而是为了给银杏乡兴文坪村90多口人运送食盐和生活用品，大山深处的兴文坪村从6月10日开始就已经断盐了。盐、盐、盐，蒲股长在心里默默地念叨，这种白色的晶体曾经困扰家乡人民几千年。川西高原不产盐，自古祖辈们所需的盐都是靠马帮从成都平原运送进来，一条条茶马古道在崇山峻岭之间蜿蜒盘旋，把高原和平原紧紧相连。蒲股长的爷爷就曾经组织过理县赫赫有名的一支马帮，直到从都江堰到理县的公路修通后才解散。

因为深山阻隔、道路断裂，直到地震一个月后的今天，银杏仍然是震后“孤岛”。5月17日，蒲股长和81名战士也是靠直升机运送才成功到达银杏。进入银杏的道路早已被巨大的山体滑坡封死，运送一趟物资需要翻越两座海拔1500米以上的高山，往返一次就要走上十多个小时，还要随时提防飞石和滑坡，危险总是无处不在。但看到全村90多口人期待的眼神，战士们还是义不容辞地背起了背囊。

6月13日，回到映秀后，蒲股长立即到抗震救灾指挥部领取物资，100公斤食盐，加上水管、帐篷和其他生活用品，每个官兵的背囊都足足有50斤重。但是天公不作美，刚要出发，天就开始下雨，而且一下就是两天，直下得蒲股长心急火燎，准备冒雨前行。可政委何洪田的态度非常强硬：雨停了再走！是啊，雨下得那么大，随时有塌方和泥石流的危险，老百姓的生活重要，战士们的生命也重要。作为团政委，他不能不对战士们的生命负责。

大雨终于在6月15日晚上停了，蒲股长几乎是在雨停的同时就准备连夜出发，但政委再次坚决地阻挡了他的出征：“今晚好好休息一下，明天一大早你们就出发。”等待总是焦急的，不到10点钟蒲股长就早早躺下，但一闭上眼睛，脑子里总是浮现起兴文坪村乡亲们那一张张熟悉的脸庞，还有他们复杂的眼神，那眼神里有感激，有期盼，有地震带来的恐惧，还有失去亲人的悲伤……翻来覆去睡不着，蒲股长索性爬起来，坐在床边抽起烟来，希望时间可以过得快一些。

一根、两根……第七根香烟抽到一半的时候，蒲股长再也坐不住了，掐灭烟头，开始穿衣服。不能再等了！两天不吃盐人就没有力气，老乡们可都等着这些救命的盐呢。

政委，请原谅我这么早就带人出发。想到那么多老百姓还等着我们，我实在睡不着。我会注意安全的。蒲正雄。

写下这张简短的字条，蒲股长走出了帐篷，没想到20名战士和他们的连长早已等候在空地上，原来他们也睡不着。感动，像一颗石子投进了平静的水潭，激起一阵涟漪，在蒲股长的心里荡漾。他没有说话。出发！这个命令只在蒲股长的心里面下达，他知道不用说，只要自己转身走出营区，战士们马上就会跟上来。

“等一下！”一个熟悉的声音传了过来，是何政委，还有后勤处的何科均助理员，何助理的手里还抱着一个大大的箱子。打开箱子，里面全是电筒。“带上，夜里山路不好走，多带点电筒好看路。”何政委把电筒一把一把交到战士们手上。

“出发！”蒲股长这次大声下达了命令，22名官兵的身影迅速消失在夜色里。

非一般的高菲菲

〇刘　芬

高菲菲不是一般的女孩儿。

明明155厘米还欠一丁点儿，偏偏姓高。人家女孩雪白的脖颈上不是漂亮挂件就是名贵首饰，她的胸前整天吊着一大串钥匙，说是开门保险。在国人印象中，上海女孩一亮相，哪个不精致时尚，她成天几件一看就是小店里拎出来的大路货，还声称衣服适合穿就行。真让人怀疑这个高菲菲究竟是不是上海这方水土养育出来的。

再看看高菲菲的读书经历，赫赫有名的宋氏三姐妹的小小校友，上海著名学府英语系高才生。这个高菲菲，印证了一句老话，人不可貌相，海水不可斗量。

毕业后，高菲菲顺利进入一家大公司。让人大跌眼镜的是，没几年，她自说自话去教育局应聘，最后来到我们学校做英语教师。

“哎，你怎么就会跑来做老师呢?”我不止一次问她。那时，我一心想跳出去瞅瞅，但一直没付诸行动。

“跟学生打交道，单纯啊。”她笑眯眯的，仿佛正啜饮着人生的美味佳肴。

“起早贪黑，又这么点儿工资，怎么能跟白领生活相比。”

“吃吃穿穿，够用了，总强过下岗工人吧。”听听，什么逻辑。

日子箭一般地奔，高菲菲不知不觉快而立了。其间，父母同事也为她牵了不少线。高菲菲倒也兴冲冲，但爱情之弦不知什么时候说断就断了。

高菲菲到底要怎样的感觉，自己也糊涂得很。

最近一次的恋爱夭折，不过一件芝麻绿豆大的小事儿。有一次，她感冒了，躺在床上休息。男友很殷勤地帮她倒水、拿药，不时靠上来问问好些没有、有没有发烧之类的话。当男友第四遍问她时，她心烦了。

“我都说了好几遍没有，他还要问。”

“人家那是关心你、体贴你，怎么就不解风情?”

“关心，一两次就够了，再多又不会好起来。”高菲菲睁大眼睛辩驳。

“你还是不是女人，弄得人家逃得比兔子还快。”我一脸惋惜地对她摇摇头。

我疑心高菲菲对男人的迟钝反应与她中学六年圈在女中的日子有关。高菲菲却矢口否认，说她很正常很健康，并列举大学期间和男生友好交往的大量事实予以佐证。

一天，已是万家灯火，高菲菲还在批改作业。

“不回家?”

她冲我笑笑，低声说：“等会儿去相亲。”

我吓一跳，上下打量她一番。头发一天下来已有些蓬乱，一件色灰肥大的外套罩着一条磨损的牛仔裤，一双过时的厚底皮鞋。

“准备就这样去?”

“那要怎样？我平时就这样。”

“高菲菲，你实在是太不上心了。”我尖叫一声，一把把她拽起来，为她理了理头发，整了整衣服。暗想，恐怕又是“黄鹤一去不复还”。

第二天一早，我迫不及待地审问高菲菲。高菲菲一脸的惬意：“真香，好久没空儿在肯德基吃一桶鸡翅了。”

我可以想见她当时眼球都要掉出来了。“不会吧——你就不能淑女一点儿?”

“忍不住嘛，再说是我自己掏钱的。”

“遇到一个葛朗台?”

“不是，我自己先买好的。总不能还不认识，就揩人家的油吧。”

我一脸无奈地望着她，“人怎么样?”

“还行，搞外贸的。”

“投机吗?”

“蛮好的。哦，我们谈了婚姻。”

“婚姻? 一见面就谈这个问题，太快了吧。”

“不是，是对婚姻的看法。我说，人家钱钟书不是说了嘛，围城。我还发挥了一下，进去了的就不要想着出来，还在外面的也不必急着进去。不要以为风景都是别的地方好。”“高菲菲，你存心不想嫁出去是吧。”

“我本来就是这么想的嘛。”高菲菲仰起圆嘟嘟的脸，一脸无辜的样子。

奇怪的是，不久他们居然有了交往，是那个男人主动的。一次碰到那个男人，高高大大，面相斯文。这更加深了我心中的谜团——这个条件挺好的家伙究竟看上高菲菲什么。

后来一次聚会上，我忍不住向已是准新郎的他挑起这个话题。他笑了笑，不假思索地说道：“真实，简单，独立。她想什么做什么，需要什么不要什么，都很透明。我相处过的女孩，只有高菲菲不会让人觉得累。”

好个高菲菲，就这样懵懵懂懂地把自己销出去了。

慈善之门

○孙春平

我家附近因有所重点高中，拐带着连这片小区的房子都一室难求了。学校的宿舍有限，那些被家长们想方设法送来、离家又远的孩子们便租房。家里条件好的单租一户，父母陪读，条件差的便群租。我家楼上，老两口都去了北京奔儿女，把钥匙丢给中介。有一次，卫生间滴答起来，我上楼通告，并进了屋子查找漏水之处，才知楼上的几间屋子都架起了双层床，连客厅也没闲着，看来住的足有十几位。接待我的是位中年妇女，挺客气，负责着做饭、打扫卫生和监管孩子的多重职责。她说，都是女孩子，爱洗爱涮，我让她们以后注意。

女孩子毕竟不比男孩子，学习了一天，昏头涨脑的，哪还有心思蹦跳。但楼上不闹腾，并不等于楼门不闹腾。有时，不定什么时间，也不定因为什么事，哪个孩子跑回来，便按电子门铃。那位女士若在家还好说，但掌管着十几个孩子的吃喝拉撒睡，自然就要常出去采买和处理事务。孩子们按不开楼门，就胡乱地再按其他键钮，嘴巴甜甜地求告，给我开一下门好吗？这般闹腾了一段时日，电子门铃坏了，物业派人修过两次，很快又坏了，眼见是有人不厌其烦，做了手脚，物业也再不派人修了。进不了楼门的孩子们的最后一招儿便是靠吼，扯着嗓子一声又一声，大姑——大姑——那位女士为什么让孩子们喊她大姑而不是阿姨呢？是不是姑属父系，更具管教的权威呢？

我家在三楼，因摆弄文字不坐班，又因改不掉吞云吐雾的臭毛病，我常将窗子推开一道缝，所以那或尖利或清脆的嘶喊便声声入耳。赶上心情好，我会跑下楼，接受豆蔻年华的女孩们惊喜的笑靥和那一声声真诚的感谢。但更多的时候，我正焦头烂额，坐在电脑前陡添愤怨，喊什么喊，叫魂啊？有一天，我在楼道里遇到那位手提蔬菜的大姑，给她出主意说，孩子们也不小了，为什么不能给一人配一把钥匙呢？大姑一脸苦笑，低声说，早有人告了，物业警告过我，群租已是违规，再敢私配楼门钥匙，出现失窃失火事件，唯我是问。

去年秋日里的一天，雨夹雪，清寒刺骨，楼下又喊起大姑来。我刚接了编辑的不合情理的改稿电话，心正烦，坐在那里发呆。雨鞭抽打得窗子噼叭作响，暖气还没供，关节都酸上来。可楼下的孩子还站在风雨中呢，不是真有急事，老师又怎会让回来？善心如此一动，我起身下楼。可唤门的孩子已经踏上了楼梯，是两人，都罩着雨披，一个还搀扶着另一个。见了我，搀人的女孩说，叔叔是来给我们开门吧？谢谢啦！三楼的老奶奶已给我们开了，她常给我们开的。我问，奶奶呢？女孩说，在后面，她让我们先上。我又问，你的同学怎么了？女孩说，感冒发烧，我送她回来吃药休息。

三楼的老奶奶，和我住对门，虽不常出门，还是见过的，快八十了吧，腿脚不大灵便，上下楼都由儿子或儿媳搀扶。大白天，儿孙们或上班或上学，只留她一人在家，给邻家孩子开门的事却让她抢了先，细想想，真是让我这利手利脚的人汗颜惭愧呀！

年底时，我家信箱里多了一封电费催缴单，细看看，是三楼对门的，便带了上去。敲门数声，老太太开门。我说，大姨，您看看，是你们家的吧？老太太说，我看不见了，你替我看吧，我家姓崔。我吃了一惊，看老人大睁的双目确是空茫，便下意识地在她眼前摆了摆手。老人肯定感觉到了眼前扇过的风，说不用试，跑过不少医院，没治，废物啦！

老人真的是废物了吗？废物了怎么还能摸索着下楼去开门？那一声废物，不会仅仅是无奈的慨叹吧？那以后，每每再听到女孩们急切的唤门声，我就想，活泼快乐而又忙碌着的小天使呀，你们可知道，那个常去给你们开门的老奶奶，可是一位双目失明的老人呀！

大　眼

〇王贺明

大眼五十多岁了，是条光棍汉。父亲在他十岁时因病撇下他撒手而去。后来妹妹出嫁了，前几年母亲也跟随父亲去了，就剩他一个人了。

其实他是有名字的，大眼是大家给他起的绰号，因为他的两只眼睛又大又圆，所以村里人都叫他“大眼”。大眼的辈分在村里挺高的，老一点应该喊他叔，年轻的都应该叫他爷，但从没有人按辈分叫他，村里男女老少都喊他大眼他还挺高兴。

大眼年轻时也娶过媳妇，是用妹妹换来的。本来大眼不同意妹妹给他换媳妇，可是娘坚决，说如果他不同意，就死在他的面前。大眼是个孝子，只好同意。这样妹妹就给他换了一个媳妇。谁知没过两年，媳妇突然消失了。别人劝他到媳妇娘家去要人，大眼不但不去，还说，强扭的瓜不甜，让她找自己的幸福去吧。

大眼是打鱼好手，也靠打鱼为生。每天早晨扛着渔网出去，晚上扛着渔网回来。不管是春夏秋冬，都是如此。每次回来，筐里的鱼都是满满的，让人眼馋。

大眼的眼睛特别灵，走到河边、池塘边，哪里有鱼他一眼就看得出来。一次，他经过一个池塘，看到池塘边冒出一股水，就说，这里有条大鱼。说完，衣服也不脱就跳进水里。果不其然，大眼空手捉了一条5斤重的大鱼。

大眼打鱼还有绝活。如果是捉甲鱼，他不用渔网，只用渔叉。他站在河边看水纹，就知道甲鱼有多大，在什么位置，然后一叉下去，就把甲鱼扎个正着。抓黄鳝，他用口袋堵在黄鳝洞口，用棍子使劲朝洞穴里捣，黄鳝出来，正好钻进他的口袋里。捉泥鳅、鲶鱼他都有办法。

大眼游泳的本领更不用说，能在水下待十几分钟。一次，村里有一年轻后生不服气，非要与大眼比试一下，看谁在水下待的时间长。大眼二话没说就同意了。他们二人同时扎进水里，年轻后生在水下待了几分钟，憋不住，就上来了。而大眼在水下十几分钟还没一点动静，大家都在替大眼担心，谁知又过了一会儿大眼才从水里浮上来，手里还抓着一条大鱼。大家对大眼刮目相看，年轻后生也甘拜下风。

大眼心肠也好。村里谁家的媳妇生孩子，都求大眼给他们打鱼，因为孕妇吃鱼奶水多。一天晚上，刚下过大雪，气温在零下十几度，邻居找他说："大眼，求求你，我媳妇没有奶水，孩子饿得嗷嗷哭，你去给我打条鱼吧。"大眼二话没说，拿起一个头就走了。几个小时以后，大眼回来了，手里提着几条大鱼。

但是这几年，河里几乎没有鱼了，大眼经常是空手而归。

原来村里建了一家造纸厂，造纸厂把污水都排到附近的河里和沟里。河水变得浑浊不堪，散发出难闻的气味；河里的鱼都翻起白肚漂上来；河边的绿草都慢慢变黄死去。

村里人以前吃的水是从地下打上来的，清甜可口，而现在打上来的水，浑浑的，还有一股难闻的味道，需要沉淀一下才能喝。大眼曾经找村主任要求把纸厂关掉，说这样把环境都污染了，村里人怎么活？村主任拒绝说，造纸厂每年给村里上交十几万，你知道吗？不就是把河水污染，你打不成鱼了吗？你打鱼能卖几个钱？大眼无话可说。慢慢地，村里有些人莫名其妙地得了怪病，有关部门化验是水污染所致。

大眼说："造孽呀，造孽呀！"村主任威胁全村人说："谁要是敢透露一点风声，我就把谁的腿打断。”

但是有人悄悄地到县上举报。上级来查，造纸厂马上停产；人一走，又生产起来。后来不知是谁用照相机把造纸厂偷排污水的镜头拍下来，上交县有关部门，上级就把造纸厂强行关闭了。村主任咬牙切齿地说：“我一定要把这个‘卖国贼’查出来，好好教训教训他！”

一天晚上，大眼打鱼回来，一个蒙面人拿刀朝大眼腿上狠狠地砍了几刀，大眼惨叫几声，就什么也不知道了……

后来大眼的腿残废了，只能拄着双拐走路，鱼打不成了。大眼拄着双拐到河边，看到河边的野草又变绿了，河水慢慢地又变清了，鱼也多起来……看到这一切，大眼笑了，他说，值得！

第一个教师节

〇杨文学

大牙扶正的这一年，教师们有了自己的节日，大牙校长就想和大家一起乐和乐和。他一问会计才知道，学校账上只有 50 块钱了。大牙就犯愁了。

大牙有个特点，一犯愁就到大门口的杨树下坐着。门口两棵杨树是他 20 年前分配到学校时，花 1 元钱买的苗子，如今已长得合抱粗了。两棵大树成了学校的标志，像两个卫士一样忠诚地守卫着这所乡村中学。夏天，两棵大树遮了一亩多地的荫凉，教师就有了歇凉处；冬天，树木落叶，让伙房有了一冬的引火柴。

会计慢慢吞吞地过来说，校长啊，真想乐和乐和也不难，给乡里打个报告，开个庆祝会，会后在乡政府食堂办上十几桌就够了。我早就打听过了，这些年，老干部办、团委办、妇联他们过节都是这样办的。大牙校长一想，也是呢，连妇联给村妇女主任过三八节，乡里都安排三桌饭。人民教师过有史以来的第一个节日，就不能扬眉吐气一回？大牙一拍腚站起来，赶忙写报告去了。

乡长事多，直到教师节前夕，大牙校长才汇报上。在乡长的办公室里，乡长打着饱嗝说，后天县里开秋季生产大会，你们这个节日我跟书记都不能参加了。你给教师们通个话，本来是打算一同过节的——尊师重教嘛，何况又是头一次过节。

大牙校长说，领导们忙，我们自己过也行，请乡长在伙房里安排安排。我们一共115个人，挤一挤，10桌也行。乡长就烦了，过节就想到吃喝，什么觉悟？亏你还是校长！

大牙校长赚了个没脸，踽踽独行，回到学校，独自站在大树下，一语不发。风从山梁上刮过来，树叶哗哗地响，宛如几十个班的学生的晨读声。大牙校长出神地盯着大杨树，这杨树是他人生的见证，也是他的希望。十年育树，百年育人。20年了，他从一名师范生做到班主任、教导主任、副校长、校长，是同这树一起成长起来的。20年了，树每长一轮，他就送走一届学生……如今他刚当上校长，就碰上第一个教师节。不能不过，全校老师，男男女女都盼着呢。他知道，不算自己，114个教师中有67个有慢性咽炎，有一个还切除了扁桃体。他们一个个长年抱着罐头瓶子做的茶杯子，一刻也离不得水。他早就想给他们每人买一个乡长、书记都使用的那种保温杯了……

会计看见树下的大牙，老远地站着。大牙校长对会计说，你去买114个保温杯，对了，弄两只猪头两副下水，5捆温河大曲，让烧饼店给打100斤烧饼，明天中午12点送到学校伙房，咱过节。

会计问：钱从哪里出。

大牙校长指指树，就闭上了眼睛。人靠在树上，一句话也不说了。

那个教师节过得特别热闹，课桌拼成的大会餐桌整整摆了10桌，四菜一汤：一盆猪下水，一盆猪头肉，一盆老汤炖萝卜，一盆猪头肉炖大白菜，一盆漂着油花子的猪肉汤。大碗里漾着酒香。教师们喝得天昏地暗，末了，一人抱着一只保温杯，唱着歌儿快乐地走了。

会计找到大牙校长时，他正坐在大树下那块石头上，手在摸着崭新的树墩子。会计劝他，天凉了，回屋去吧。

大牙校长说，不，我再听一会儿。树叶子在唱歌呢，你听，哗啦啦，哗啦啦的，多好听啊。会计一扭头，落下两行泪。

减肥

〇邓　刚

我的体形很奇妙，既可以歌颂又可以批判。你可以称赞我虎背熊腰，威风凛凛，俨然是个将军；但你同时又可以批判我脑满肠肥、大腹便便，绝对的“资产阶级”形象。这使我经常兴高采烈又经常垂头丧气。但到了新世纪的今天，我这可爱又可恨的体形最终被锁定在医生们斩钉截铁的结论上——肥胖症。这就意味着我是高血压、冠心病、动脉硬化等可怕病症的载体。于是我不得不心惊胆战地活着：不敢吃肉不敢吃油，不敢吃香的不敢吃甜的，不敢吃所有好吃的东西，越是丰盛的美味佳肴，我越感到是敌敌畏，是毒鼠强，是导致停止呼吸的恶魔。我简直像个穷困潦倒的乞丐，顿顿清汤寡水，吃糙米吃蔬菜恨不能吃草。倒霉的是，我即使是光喝凉水，也依然日新月异地胖下去。

一些医生严肃地说：运动减肥。于是我爬山我游泳我发疯似的奔跑，像猴一样活跃兔子似的蹦跳，每天锻炼得大汗淋漓。渐渐我感到自己轻松不少甚至体轻如燕，但站到磅秤上竟然体重如旧。于是我更加发疯如猴如兔简直就如猎豹，结果我还是结结实实地压在磅秤上，这使我大为沮丧。

一些医生不屑地说：运动其实不减肥，减肥心切的运动，反而会伤及筋骨，甚至使某些器官致病。你没看报上报道，一些健壮的运动员猝死吗？我吓了一跳，回想起自己曾有一次因疯狂奔跑而差点咳嗽得背过气去。那应该怎么办呢？医生用沉重的口气说，肥胖是病，最佳方法是药物治疗。于是我就吃减肥药，喝减肥茶，像个忠诚老实的患者，按时按点地严格服药。不出几天我就开始腹中雷鸣，紧接着就拉稀，每天提着裤子往返于厕所。减肥疗效确实显著，磅秤的指针猛地往回一歪，几天就掉下几斤肉。从镜子里看，我果真苗条了许多。眼睛比过去大了一圈，似乎有些精神抖擞，但更多的感觉是精神恍惚。我本想继续咬牙切齿坚持，问题是我那漏斗似的屁股使我痛苦不堪，再继续咬牙，怕有一天会叫“120”救护车。

一些医生愤怒地说：不能乱吃减肥药。没看到一些医学专家的报告吗？有些减肥药里含有对人体有害的毒素，你这个当作家的竟然如此没文化……我面红耳赤，那应该怎么办呢？医生停止了愤怒，认真地对我说，真正能减肥的方法是节食，是少摄取脂肪类食物。我像听了至理名言和圣旨，立即照办。从此我像个和尚一样吃斋，所有含脂肪的食物我全都视为大敌。开始我下定决心不吃晚饭，实在饿得不行，就来个白水煮青菜填充一下咕咕叫唤的肚子。可数日之后，我不知怎么真正地精神恍惚起来，构思散文却涌上来小说的细节，构思小说却飘进来莫名其妙的诗句。我窃喜，以为我即将成为荒诞派大师。可不妙的是我两腿竟然飘然若仙绵软如煮过了火的面条。站在那儿就想坐着，坐在那儿就想躺着，躺在那里就晕晕乎乎地想睡。我明白这是缺乏营养所致，于是我就如河马吃青草般再度大吃青菜，吃得我两眼放绿光，但体形似乎更肥壮。

一个农民对我笑着说：天天吃青草的牛从来不摄取脂肪，但膘肥肉厚并长满了胆固醇，为何？我瞠目无言却又恍然大悟——地球上为什么有高山有平原有盆地，为什么有高树有灌木有矮草，这是造物主的巧妙设计，否则就不会有风景。如果人类没有高矮胖瘦之分，一律都是整齐划一的模特儿，那就太麻烦了。这会使你认不出你的老婆是谁，并以为所有的女人都是你的老婆。我还是担当起上帝给我的角色，或是虎背熊腰威风凛凛让人爱，或是脑满肠肥大腹便便让人恨吧。

空空的老家

〇非　鱼

没有老家的人，就像无根的浮萍，无论在一个地方住多久，心里总不踏实，飘飘摇摇的，回忆苍白无力，灵魂无处安放。

李胜利不同，他是有老家的。

距离他居住的小城二十多公里，一个叫武家塬的小村子里，一座地坑院，七眼矮小的窑洞，就是他的老家。

李胜利在北面的上窑出生，父亲用一把剪刀剪断了他的脐带，他躺在焦黄的炕席上啼哭。后来，那领炕席上又哭来过他的三个妹妹。再后来，他和三个妹妹又在那眼窑里哭走他们的祖母，还哭走他们的母亲、父亲。

父亲去世后，家就成了李胜利抽屉里的一把钥匙，成了老家。偶尔回去一趟，晾晾柜子里的被褥，把堵住渗坑的落叶扫走，修剪一下院子里的树，坐在院子中间晒晒太阳，和村里的邻居们拉拉家常，李胜利觉得踏实。他甚至想，等将来退休了，就回武家塬来住，跟村里要一小块地，种棉花。他喜欢棉花飘逸的白，还有握在手里的温暖。

李胜利的想象很丰富，可村主任的一个电话却让他所有的想象成了空。

村主任操着很不标准的普通话说，村里统一规划，现有的地坑院要填埋，住在地坑院里的人要迁移到新规划的住宅区去。

李胜利有些蒙，那我家怎么办？

村主任拿着腔调说，当然也得填啊。你是文化人，知道政策，要带头执行啊。这个时间很紧迫，你要抓紧把家里的东西处理一下啊。

李胜利回到武家塬的时候，村里静悄悄的，好像整个村庄都在午睡。

李胜利把所有的窑门都打开，这个窑转到那个窑，看着熟悉的一切，不知道该怎么办。祖父母、父母积攒了近百年的家当，住过几辈人的家，要在他手里消失，他觉得难过。

中午，村主任站在崖头上喊他，问他那些东西是卖还是拉走。李胜利说，不拉了，拉到城里还是没地方搁。村主任说，那就让你几个妹妹来，能用的她们拿走，剩下的就卖了吧。李胜利叹口气，只好这样了。

妹妹们拉了架子车来，挑了一些小东西拉走了。她们不好意思拿，说好歹都是父母留给李胜利的家业。

半下午，院里呼啦啦来了几个人，说村主任介绍来的，收旧家具老东西的。李胜利说，消息够灵通。他们呵呵笑，干啥有啥道，吃这碗饭，不灵通不行啊。村主任说你家有些老东西，要不跑快点，屁都吃不上。李胜利让他们各窑看看，哪些能要，估个价，合适了都搬走。

天快黑的时候，祖母陪嫁的两口大漆箱子、母亲陪嫁的柜子、一对太师椅、几只绣花的圆枕头、四口腌咸菜的大缸和几个小罐子，被他们拉走了。

李胜利看着汽车远去，觉得像是把祖辈流在他身上的血一点点抽去。

第二天，村主任又给李胜利打电话，说有人想买他家的石榴树。

来买树的人李胜利认识，某局办公室副主任，一个桌上喝过酒。李胜利说，你长狗鼻子了，这地方你都能踅摸到。副主任说，领导喜欢这些，没办法。装饰单位后院。

石榴树原本有两株，李胜利祖父年轻时候栽的。后来死了一棵，父亲想把它刨了，可两棵树离得太近，根纠缠在一起，就一直没动。

副主任围着石榴树转了几圈，一拍手，好，就是它了，生死恋。

李胜利说，啥生死恋？

副主任说，一生一死，牢牢相依，还不是生死恋？

李胜利看不出来。他能看到的只是父亲在修剪石榴树时的身影，还有母亲仰着头在给一个一个石榴塞药棉的身影。

慢慢地，窑里、院子里的东西都卖了，雕花的门脑、画着喜鹊登枝的风门、没烂的瓦当、院里的桐树、崖头上的楸树，都各自找到了新家，就连祖母的纺花车、线拐子，父亲的铁锨、锄头也被一家饭店买走，说要摆在大堂，供客人欣赏。卖吧，卖吧，卖吧。李胜利到后来几乎是怀着恶狠狠的心在卖那些东西。不卖怎么办？他能怎么办？

不到一个星期，所有的东西都处理完了，七眼窑洞里空荡荡的，院子里也是空荡荡的，只有刨树留下的大坑，咧着嘴在哭。

离开的时候，李胜利拿走了大门上的锁。握着那把锈得发黑的铁锁，李胜利心生悲凉：从此以后，我也成了无根的人了。

萝卜花

○丁立梅

萝卜花是一个女人雕的，用料是胡萝卜，她把它雕成一朵一朵月季花的模样。花盛开，很喜人。

女人在小城的一条小巷子里摆摊儿，卖小炒。一小罐煤气，一张简单的操作平台，木板做的，用来摆放锅碗盘碟，她的摊子就摆开了。她卖的小炒只三样：土豆丝炒牛肉，土豆丝炒鸡肉，土豆丝炒猪肉。

女人三十岁左右，瘦，皮肤白皙，长头发用发夹别在脑后。惹眼的是她的衣着，整天沾着油锅的，应该很油腻才是，却不。她的衣极干净，外面罩着白围裙。衣领那儿，露出里面的一点红，是红毛衣，或红围巾。她过一会儿，就换一下围裙，换一下袖套，以保持整体衣着的干净。很让人惊奇且喜欢的是，她每卖一份小炒，必在装给你的方便盒里，放上一朵她雕刻的萝卜花。这样装在盘子里，才好看。她说。

不知是因为女人的干净，还是她的萝卜花，一到饭时，女人的摊子前，总围满人。五块钱一份小炒，大家都很耐心地等待着。女人不停地翻铲，而后装在方便盒里，而后放上一朵萝卜花。整个过程，充满美感。于是，一朵一朵素雅的萝卜花，就开到了人家的饭桌上。

我也去买女人的小炒。去的次数多了，渐渐知道了她的故事。

女人原先有个很殷实的家。男人是搞建筑的，很有些钱。但不幸的是，在一次建筑中，男人从尚未完工的高楼上摔下来，被送进医院，医院当场就下了病危通知书。女人几乎倾尽所有，抢救男人，才捡回半条命——男人瘫痪了。

生活的优裕不再。年幼的孩子，瘫痪的男人，女人得一肩扛一个。她考虑了许久，决心摆摊儿卖小炒。有人劝她，街上那么多家饭店，你卖小炒能卖得出去吗？女人想，也是。总得弄点和别人不一样的东西吧？于是她想到了雕刻萝卜花。当她静静地坐在桌旁雕花时，她突然被自己手上的美好镇住了，一根再普通不过的胡萝卜，在眨眼之间，竟能开出一小朵一小朵的花来。女人的心，一下子充满期待和向往。

就这样，女人的小炒摊子，摆开了，并且很快成为小城的一道风景。下班了赶不上做菜的人，都会相互招呼一声，去买一份萝卜花吧。就都晃到女人的摊儿前来了。

一次，我开玩笑地问女人，攒多少钱了？女人笑而不答。一小朵一小朵的萝卜花，很认真地开在她的手边。

不多久，女人竟出人意料地盘下了一家酒店，用她积攒的钱。她负责配菜，她把瘫痪的男人，接到店里管账。女人依然衣着干净，在所有的菜肴里，依然喜欢放上一朵她雕刻的萝卜花。菜不但是吃的，也是用来看的呢。她说，眼睛亮着。一旁的男人，气色也好，没有颓废的样子。

女人的酒店，慢慢地出了名。大家提起萝卜花，都知道。

生活，也许避免不了苦难，却从来不会拒绝一朵萝卜花的盛开。

同　学

○聂鑫森

这两个人是初中时的同学，都快六十了，白发已经悄悄地漫到了鬓边。

一个叫杜小牧，一个叫王胜臣。

杜小牧是市文化局的专业剧作家，一生中写过十几部话剧，演出后，得到过几次文化部颁发的剧本大奖，在戏剧界名声很响。剧本上他署的是笔名“牧字”，以放牧文字为乐，因此不熟悉他的人，不会把“杜小牧”和“牧字”联系到一起。他原先住在文化局那个大院里，谁都知道他是干什么的，那些目光里所包含的内容相当复杂，尊敬也罢，忌妒也罢，都让他很不舒服。因此他从城西搬到了城南，住进了吉平山庄。这个中等的住宅区，没有谁认识他。他一直想写一部关于社区生活的话剧，这样就可以早早晚晚与人平等地接触，以便积累素材。

王胜臣初中毕业后，随父母去了外省，在那里的工厂当了几十年工人。因为儿子大学毕业，招聘到这里的一家电脑公司当总经理助理，王胜臣也就落叶归根回到自己的出生地，并在吉平山庄买了套房子，等待着成了家的儿子给他送一个孙子或孙女来。从外表看，他比杜小牧显得老相，额头上的皱纹很深很密；一双手的指头又粗又壮，上面覆着一层老趼。

吉平山庄面积很大，住户很多，有上班的，也有不上班的，谁也不知道谁的根底，谁也不会和谁去套近乎。

杜小牧和王胜臣是在一个月前的一个早晨，六点多钟，在一个小花园窄窄的石径上蓦然碰面的。杜小牧当时正在心里推敲一部即将上演的大型话剧的内容介绍，走得很慢，当他感觉到对面走来一个人时，出于礼貌，避让到石径的边沿上。但对方并没有很快地走过去，而是停下了脚步，把他上上下下地打量。

“请问，你是杜小牧吗？”

很久没有听见有人直呼“杜小牧”了，而且在“杜小牧”的后面，没有加上“老师”“先生”之类的连缀词。杜小牧在这一刻感受到了一种久远的亲切，连忙说：“我是。你……”

对方一拍他的肩膀，说：“我是王胜臣，你初中的同学，和你同班同桌，你认不出我了？”

杜小牧说：“嗯。不过，你说你是王胜臣，我倒是越看越像了。”

他们在一个紫藤花架下的长椅上坐下来。

“杜小牧，你退休了？”

“没哩。不过，不怎么去上班了。你呢？”

“退了，一个月也有六七百元的退休金，够用了。当了一辈子的工人，该歇口气了。你在什么单位工作？”

“文化局，抄抄写写了几十年。”

“那有什么意思！我原先的那个工厂，几千人哟，上班热热闹闹的，像赶庙会。”

接着，他们又谈起各自的老伴儿和孩子，然后又把话题转到初中时代的校园生活。

“杜小牧，那时候我的作文比你写得好，我还喜欢写旧体诗，你记不记得？”

“记得。班上那块黑板报，由我们两人轮流写文章，轮流用粉笔抄上去。不过，我的字比你写得好，是不是？”

“是的。我记得你父亲是个中医，毛笔字写得蛮漂亮，你从小就练字习帖。”

一个小时过去了。王胜臣说他该去买菜了，要不老伴儿又该埋怨他了。杜小牧也说要回家去抄一份材料。他们约定早上和黄昏在这里碰面，一起散步，一起聊天儿。

一个月很快地过去了。

这一个月呀，王胜臣谈了许多杜小牧不甚熟悉的工人生活，谈了许多在西北地区的见闻，听得杜小牧不停地点头。这使王胜臣有了一种满足感，甚至觉得杜小牧有点呆有点迂，活得很窝囊——怎么混成这个模样？更让杜小牧佩服的是，王胜臣很容易与人拉近距离，住宅区的不少人他都认识，而且彼此间谈得很投机。王胜臣又把这些人一一介绍给杜小牧：“这是我的初中同学，本分人，在文化局抄抄写写一辈子，不容易！”

杜小牧忙站起来点头，上前去握手。

王胜臣笑了，笑得很得意。

这天下午五点来钟，杜小牧写完一篇谈话剧创作的文章，忙收拾好资料和文稿，准备下楼去。老伴儿提醒他：“六点钟准时回家，吃饭、换衣，今晚是话剧公映的头一场，电视台要直播，市委领导都去看戏哩。七点整，有车来接，你可别误了！”

杜小牧突然烦恼起来，说：“我都看多少遍了，还要看！杨局长说，我不能不去陪，不去，别人会说我的闲话。烦！”

杜小牧气冲冲地走了。

还是在那个小花园，还是在那个紫藤花架下。杜小牧和王胜臣，不，还有另外几个新朋友，痛痛快快地聊天儿。杜小牧很快活，把晚上看戏的事忘了个一干二净。

七点过十分的时候，花园外的那条水泥路上，驰来一台黑色的小轿车。车门开了，首先下车的是杜小牧的老伴儿，然后是一个胖胖的中年人。

“老杜，杨局长接你来了。”

杜小牧只好站起来，向王胜臣和大家挥手告别。

老伴儿说：“怎么没个记性！今晚你要陪市委领导看戏哩，人家杨局长亲自开车来接，我一想，你准在这里，就领着杨局长来了。”

杨局长响亮地喊道：“杜作家呀，贵人多忘事，哈哈！”

杜小牧看见王胜臣脸上的笑意全没了，目光忽地黯淡下来。其余的人也默不作声，好像是话剧中的“静场”。

杜小牧说：“王胜臣，对不起，我先走了。明早，我们还在这里见。”

说完，朝那台小车无力地走去……

第二天早晨，杜小牧急急地赶到小花园的紫藤花架下。

王胜臣没有来，其他的人也没有来。

一个小时过去了。杜小牧孤零零地坐着，抽了一根烟又一根烟……

曼德拉的铅笔

○毕淑敏

女友自南非旅游归来，送我两件礼物。第一件，花锡箔包着，缎带系着，体形圆圆，若二两重的芝麻烧饼。我说，这是什么？南非特产？该不是送我这样大的一块钻石吧？

她轻声道，比钻石还要宝贵。

看女友轻柔的样子，好像锦盒之中藏着一只冬眠的蝴蝶。很想把这份神秘感带回家，隔山买牛细细猜测。但时下西风东渐，兴的是当面锣对面鼓地敲开礼物，然后受礼者做出兴奋得昏过去的模样，夸张地赞叹，于是主客皆大欢喜。

只好将美丽的包装撕开。一坨晶莹剔透的玻璃芯，果真有一种未知物的标本，静静地潜伏在胆内。绿灰色，丝缕状，螺旋形，有依稀的纤维纹路浮现着，仿佛一圈华贵的水藻，凝固于北极寒冰中。

无法判断它的属性。急翻背面的说明签，看到一行触目的英文。无论怎样顾及礼貌，我还是难以掩饰大惊失色。我们常常在电影斗殴里，听到一句粗口，它的大致含义是——粪便！

朋友说，这是野生的非洲大象粪便。由于象群越来越少，它也成为奇特的纪念品。大象这种地球陆地上最庞大的动物，只因为牙的精美，被人们无穷无尽地猎杀，陷于灭顶之灾。据说，大象为了维护自身的安全，它们的牙已缩得越来越短。不知道造化的法则能否给象族以足够的时间，使它们在人类的枪口击毙最后几对象夫妇之前，让祖传的长牙完全消失！那虽然顿减壮美，好歹保下种群的延续。可怕的是，也许到了下一个世纪，我们的后代会对着这盒标本说，哈！这是什么？……不可能！哪一种动物会有如此粗大的排泄物？必是外星人遗下的无疑。

物种的生命之链，比钻石要宝贵千倍啊。

朋友又拿出一迭照片，指点着给我讲南非的桌山和迷城，讲原名叫做“风暴角”，后来为了讨吉利，改叫“好望角”的非洲最南端，讲曼德拉所在的总统山和他曾被监禁的鲁宾岛……你看，这就是总统府啊，很平和的样子，是不是？曼德拉上班的时候，就把一面南非国旗从办公室窗户里探出来，表示他正在此处理公务，老百姓要是有什么事，可以约了去见他。如果国旗不飘了，说明曼德拉这会儿暂时不在……喏，我把一支曼德拉铅笔送给你。

我接过第二件礼物。它没有包装，裸着身子，外观同所有铅笔一样，纤细挺秀，掂在手里，却颇有几分重量。前半部很普通，木质包裹着石墨芯，常规模样。后半截却与前半部相异，改成塑料的中空管，管里灌满了南非岩石的碎渣，五颜六色，绚丽多彩。一块小小的橡皮头，堵住了塑料管开口处，既是塞子，又可涂擦纠错，保留了古典铅笔的功能。

我捏着铅笔，赞道，很好的纪念品。

女友说，其实这种铅笔最大的价值，在于保护树木。要知道，没有人能把一支传统的铅笔，从头用到尾，分毫不剩。发明了铅笔帽，可能好一点，但还是没法百分之百地利用铅笔。无数木材，就这样被短短的铅笔头吞噬掉了。人们对这个问题，置若罔闻了几个世纪，森林越来越少，今后再不能继续下去了。曼德拉铅笔既实用，又有保存价值，而且可以举一反三地仿照。比如我们塔克拉玛干大沙漠的沙子，青海盐湖的晶盐，喜马拉雅山的石子儿，陕北的黄土……搜集来装进塑料管，是多么好的制造铅笔的原料和思乡的礼品啊！

分手的时候，女友讲了个小小的细节让我猜。

在南非最大的自然保护区——克鲁格国家公园，我们坐着车观赏野生动物。莽原上出没着犀牛、狮子、大象和豹，是猛兽的天堂。我们被严令告知，万不可擅自下车，并签了生死自负的文书。车在广漠的高原行进，不时听到狮吼，一种远古的恐惧，嗖地袭上心头。我看剽悍的导游手持长枪，略略放下心问他，如果我们被猛兽抓到，你会开枪吗？

会。他简短有力地答复。

紧接着，导游又补充了一句话。你猜说的是什么？女友问我。

这如何猜？你还是告诉我吧，我说。

那导游说道，当你被猛兽捕获，为免你遭受更大的痛苦，我们将开枪将你打死。我们规定，不得射杀动物。

芭比娃娃是这样让我破产的

〇吴晓波

我必须声明的是，我是那样地喜欢芭比娃娃，在这一点上，我跟我7岁的女儿并没有什么不同。周末的时候，我们两个会经常蹲在伊势丹百货公司的芭比娃娃专柜前，对每一个可爱的娃娃进行一次评头论足。这成了我与女儿最开心的时刻。可是，让我始料不及的是，就是这么可爱的芭比娃娃，竟会闹到让我破产的境地。

事情发生的经过是这样的：4个月前，我的宝贝女儿过生日，她唯一要求的礼物，就是让我给她买一个芭比娃娃。尽管我对芭比娃娃的价格实在难以认同——要知道，一个在纽约卖3美元的娃娃，到了中国竟要卖到230元人民币。可是在女儿充满渴望的目光中，我还是软成了一块豆腐。

我原以为事情就这样结束了。谁知一星期后，女儿搂住我的脖子说，芭比要一件真丝睡衣。

“你妈妈也缺一件真丝睡衣呢。”我答非所问道。

“在目录里有一件的，只要35元钱。”

“什么目录?”

“买芭比时售货员姐姐送的目录呀。”

我抓过目录一翻，眼睛差点晕花过去，芭比娃娃居然有200多件漂亮的衣服，每一件都有尺寸、规格和一个美丽的名字，从最新潮的滑冰裙到高贵的貂皮装，而它们的价格都在35元到150元不等。上面还详细地告诉你，什么季节应该穿什么衣服，而出席什么场合又是哪一件最合适。

你知道我无法拒绝女儿，那一天我第一次到商店为一个莫名其妙的娃娃买衣服。

一星期后，女儿又搂住了我的脖子："爸爸，芭比要做空中小姐。"

"你的意思是让我给她买一架飞机？"

"不是的，是一套最新版的制服，只要55元钱。"

我知道这个月我的牛奶是没得喝了。没过多久，女儿的芭比娃娃又分别当上了护士、摇滚歌星、职业舞蹈家和女牛仔。又是那么一天，在临上床睡觉的一刻，女儿再次搂住我的脖子："爸爸，芭比太寂寞了。"

"是呀，你应该常带她出去走走。"

"她需要约翰。"

"谁是约翰？"

女儿把藏在枕头底下的目录拿出来，天哪，这是一本我从来没有见过的目录，大概是当时我买芭比娃娃的时候留下了家庭地址，制造商刚刚邮寄过来的。在这本"季度目录"上——看来他们每一个季度会寄一本这样的玩意儿过来——果然有一个叫约翰的小男孩，他的大小与芭比一样，剪了一个水兵头，有塑胶的身体和灵活的手臂，他有身高、体重、爱好，还有爱捣乱的坏习惯。

我女儿几乎要哭出来了："如果你不买约翰，芭比大起来就会没有男朋友的。"

于是我花250元买回了约翰，顺带还买回了约翰日常需要的礼服、睡衣、雨衣（你可以选雨伞，价格都是38元）、游泳装，还有一把小小的、十分可爱的电刮脸刀。

又过了几星期，我正在专心致志地看报纸，脖子突然又是一凉，果然女儿又带来了一个关于芭比的惊天大喜讯：芭比跟约翰要结婚了。

"这是他们需要的婚礼目录，有两套礼服、一对蜡烛、一个小蛋糕，还有一个新婚的房子。”

“为什么要花100多块买房子？”我叫了起来，“他们不是可以跟神奇宝贝、天线宝贝、多啦A梦、米老鼠和流氓兔待在同一个架子上吗？”

“芭比和约翰长大了，不能再跟皮卡丘在一起玩了，他们要自己的世界。”

好啦。现在，芭比与约翰愉快地结婚了，生活在他们梦想的带风车的白房子里。忘记说了，在采购结婚用品的时候，我还买回了一个衣柜，用来挂陆续添置回来的芭比与约翰的衣物，它们的数量很快就会超过我与妻子的衣物总和了。我的女儿快乐地成长着，她有着一个与我完全不同的童年。

昨天我跟她一起看蜡笔小新，那个淘气而有趣的小新把我们逗得人仰马翻。突然，我女儿又企图搂我的脖子，我忙抓住她的两只小胳膊，请她先把话说完了再来搂我。

她支支吾吾地说：“我想让小新跟芭比、约翰交个朋友。”

高 手

〇胥得意

在高手林立的连队，指导员打起乒乓球来实在算不上一位高手。无论是干部还是战士，都能拿他开刀。开始大家还讲，指导员刚来，是在给我们留面子。时间久了，官兵们就知道了，指导员的技术就是那个样子。

打球时赢球的一方总是会感到很快乐，指导员到连队不久就得了一个绰号——快乐大本营。战士们叫的。

指导员是从机关下到连队来的，人很沉稳，不爱太多言语，但那双眼睛总像是在观察着周围的一切。后来，在会上，他就讲，连队有一些事情不太合理，规定不太科学，是不是可以改一下。当时就有老兵站出来反对，这么两年，连队就是这样过来的，不也很好吗，改啥改。指导员就不再做声。

指导员有空了还是去和大家打球。结果还是和以前一样，打一场输一场，打两场输两场。他的脸上从来没表现出一点点的不高兴来，还是笑呵呵地冲战士喊：我不服！再来一局！

战士们一点点喜欢上了指导员，因为只要自己心情不好了，或是挨批评了，找指导员打上一局就会好受得多。那个时候，他们会把所有的气发泄到打球当中。看到把指导员打得找不到球的狼狈样，战士们心里就会涌上一股莫大的满足。尤其是指导员把球高高地放过来，一个挥拍猛扣，球“啪”的一声击中球台，一下反弹出界，指导员够也够不着，只好望球兴叹时，真是一种说不清道不明的快乐。

指导员对球的热情和对待战士们的热情一同在上升着。银色的乒乓球或是金色的乒乓球在指导员和战士之间你来我往地跳跃，击中球台时那一声声清脆的响声，俨然一支和谐的曲子，在唱颂着官兵友爱的情谊。因为打球通常是在双休日进行，指导员就很少回家了。时间一久，指导员就对妻子说双休日你干脆到连队看球算了。妻子想想也是，就悄悄地到了部队，她想看一看到底是什么吸引住了指导员。

指导员全然不顾这些，依然和战士打他的球。他妻子在活动室却看着看着就着了迷。原来当个球迷也很有意思，能因一个好球跳起来叫好，也能为一个擦边球而不停地惋惜。和指导员妻子看球的战士慢慢地学会了和她一同评球。指导员妻子讲的最为经典的评论是对指导员讲的。她说，你的对手每发出的一个球都像连队的一个难题，这个难题不是解不了，而是看你接发球的能力如何。听完这些话，指导员的眼睛差一点儿从眼眶里掉出来，没想到妻子能看出这么多门道来。

连队的赛事打得久了，指导员就对大家提议，总这样打也不行，干什么都要有个规矩，我们订个打球计划，再在活动室挂个守则什么的。战士们想想说行，要不然有时打球是很乱。指导员还是和战士们在一起不停地打，还是没赢过战士一回。这样一来，以前只有一些高手打球的局面变了。全连官兵不论会与不会打球的都敢摸球拍了。因为他们相信只要上场，就能赢球，赢球当然就乐了。何况，赢的是连队的指导员。

在指导员打球的过程中有很多老兵劝指导员，告别乒坛吧，总赢不了还有什么意思。指导员一本正经地说，那不行，怎么能因为赢不了就不玩了呢。人活着得有一口志气，我就不信我一次也赢不了。战士们的话虽是那样说，可他们还是愿意和指导员在一起打球。因为指导员和他们打球认真，丝毫也不懈怠，这就是对他们的尊重。

在指导员到连队的那个年底，连队很多不好的习惯都改了过来。

一次团长到连队检查，看见指导员和兵们在热火朝天地打球。团长问身边的一个老兵，你们连谁是高手。老兵笑着指指指导员。团长向指导员望过去时，计分员正在响亮地报着比分。

团长又问那个老兵，现在是你们指导员输呢，你怎么还说他是高手？

老兵只是笑，不语。

麻辣教师秀

○房伟清

历史老师

教我们历史的王老师，是位已过耳顺之年的老教师。看着他那副一如既往、无比严肃的面孔，你就会觉得中国五千年文化都积淀在他脸上了。王老师的名字中有个“宝”字，私底下我们都亲切地称他为“宝二爷”。

“宝二爷”一直猫着腰蹬着他那辆仿佛青铜时代的“老坦克”。当他急吼吼或优哉游哉地从你身边骑过，你就会听到非常有韵律的“哐啷当——哐啷当”的声音。

“宝二爷”讲课从不讲废话，每次一走进教室就直奔主题。讲课过程中，他的视线始终向上呈30度角，直视教室后墙顶端。那眼神，就好像早已望穿了那堵笨墙，看见了楚江碧水东流，塞下长河落日……无比陶醉，无比神往！

有些老师上完课立马走人，“宝二爷”下课前总要说句“有问题的上来问！”起初大家都以为是客套话，后来发现“宝二爷”的确每次都是最后离开教室。他站在讲台上，用一种期待的目光看着我们一个一个走出教室，直到最后一个学生离开。哎，我多想有个问题上去问他，好不辜负那样的目光。为了不让“宝二爷”感到他教了一个傻瓜大半年，我琢磨了一个星期，终于想到了一个稍像样点儿的问题。那天“宝二爷”旁征博引足足给我讲了30分钟。说完，他说：“走，走，一起吃午饭，我请客。”啊啊！“宝二爷”居然笑了！真是铁树开花。

“宝二爷”考试前不画重点，这在中学里通常是“不得人心”的做法，所以考试前夕大家都慌了手脚。考完后都松了口气，原来随着他陶醉投入的眼神，那些知识早就不知不觉渗透到我们的大脑皮层里了。

电脑老师

阿正是我们计算机基础课的老师，刚从师范学院毕业。大概是和我们年龄相差无几的缘故，大家混得颇熟，第一堂课他便让我们唤他阿正。

阿正戏称自己“可远观而不可亵玩焉”，因其近看若九旬瘪嘴老太，而一开口，气流直升，话音早已离题万里。凭借沧桑的模样和风趣的谈吐，他又赢得了“帅爹”的昵称。

阿正的课有一种强烈的互动气息，他从不忍心把我们放在一边自个儿讲课，每讲一个问题还潇洒地甩一甩飘逸的长发，用独特的英文发音问：Any questions？当解决了一个问题后便和我们一起雀跃着伸出两根手指做V字状并“耶”地欢呼一声，那架势绝不亚于“幸运52”的现场。

阿正的课只有短短的24学时，正如他在最后一课中深情款款的呢喃：“悄悄地我走了，正如我悄悄地来；我挥一挥衣袖，不带走一片云彩。”面对着众多对考试诚惶诚恐希望能从他口中套出考题信息的“小弗朗士”，阿正慷慨激昂地握紧拳头：“我们的目标是没有蛀牙！耶——”我们清楚地看见阿正嘴里的黑洞由严肃的紧闭转为吃惊的张大继而欣慰地舒展开来。笑靥如花，帅呆了。

政治老师

今年教我们政治的是——第一堂课，全班到齐，主要是实地侦察该老师要用什么样的着数来对付我们这些逃课生。

进来一矮小老头儿，想必耳聋眼花。几分钟过后，有人探讨回家感想，有人拿出了单放机……歌舞升平。前排有人在笑，原来老师的假牙一不留神“独立自主”了。

我们有好日子了!

突然有数道白光闪过，只听几声惨叫，全班肃然，原来老师已经出手。暗器是粉笔头，命中率100%，想必是几十年从事教育所致。

但他并不责备，只是提出一古怪刁钻问题叫多数人哑然。老师倒通情达理：“没关系，可能你们还不适应我，我上课不喜欢冷落学生（老师，别理我们，让我们孤独吧）! 同时，我要求每个同学都做笔记，课前抽查(闻所未闻)。还有就是每节课后，我都会留十道问题，以巩固知识。”哎! 招招见道行。

一只羊为什么等于两把斧子？老师的课讲得还是一如既往的“了无生趣”，但每个人今年都为政治课“浪费”了一个笔记本。

对付这种老师，只有一个字：“学”。上这种老师的课也是一个字：“惨”。但期末考试全班喜气洋洋，想拒绝考高分——难。

老师姓江。我们说，“姜”还是老的辣。

麻理子学中文

〇乐　风

麻理子下决心学中文了。

“我喜欢上了一个中国人。”麻理子对她的中文老师说起自己学中文的动机，接着又自豪地说，“因为他不懂日语，所以我得学会中文。”

原来，麻理子去北京旅行时，认识了一位当地小伙子，她一见倾心，决定非他不嫁，于是当即将自己的名字写在纸条上交给他，并要来他的电话号码，回日本后的第一件事便是学中文。麻理子爽快得很，她说：“我要给他打电话，我想听听他的声音。”

一星期一堂课，才上了两个星期，麻理子便要求老师在一旁保驾，她要打电话去北京。

“我是麻理子，你记得我吗？我很想你。”根据麻理子的要求，老师把她要说的日文译成中文并写在纸上，再注上拼音。反复练习了几遍后，麻理子便直奔教室楼下的电话机。全班同学随即蜂拥而至，将老师和麻理子围在了中央。

“喂，是谁呀？”电话里传来小伙子动听的声音。

“我、我——是——麻——理——子，你——记——得——我——吗？我——很——想——你。”麻理子的发音走腔走调，但勇敢地将刚学会的中文说了一遍，便紧握着电话筒，眼里噙着泪花。

“他知道是你吗？他说什么了？”同学们既为麻理子高兴，又为麻理子担心。自然，电话里说的是什么，麻理子本人全然不知。

“快把电话给老师吧，让老师代你说。”同学们在旁边不住地劝麻理子。

老师接过电话，清了清嗓子，自我介绍说是麻理子的中文老师之后，便擅自做主询问小伙子是否已有女朋友，对麻理子是怎样一种感觉。因为老师不愿意学生装满纯情的心受到伤害。小伙子老实得很，如实回答老师的提问，表示愿意与麻理子从朋友做起。就这样，老师当起了每周一次麻理子与北京小伙子间的恋爱传话筒。“她非常想去北京见你。”老师传话给小伙子。“什么时候来，让她事先告诉我，我好请假陪她。”老师又传话给麻理子。那一阵子老师似乎年轻了起来，愉快地享受着每星期的这一天。他对自己的糟糠之妻说，超越国境的爱是蛮浪漫的，看来恋爱是得大大地谈。

麻理子的中文在班上进步得最快。她还不时地把北京小伙子的来信拿到班里给同学们看，老师则顺手拿来当教材，中文班的氛围非常好。老师教大家学唱中国歌，一曲《跑马溜溜的山上》，不用说是麻理子把歌词理解得最为准确，唱得也最为动听。

后来，麻理子终于要和北京小伙子结婚了。她做通了父母亲的工作，决定远嫁北京。老师再一次被麻理子的举动所感动，请来了班里的学生，在家里为她饯行。现在，麻理子多半时间生活在北京，中文水平自然就不用说了，一口京片子溜得很。她的家也仿佛是个联络站，转了好几个弯的朋友去北京时也会找她。而让她最为得意的便是：常有中国同胞夸她说，“你的日文说得真漂亮。”

一个汉堡包

〇星　星

我家附近新开了一家快餐店，耀眼的招牌马上变成了一个显眼的指引标，无论是指引车子里的司机，还是指引肚子里的蛔虫，大家都会提到它。而我，因为一直在外面读书的缘故，始终没踏入过这间距离我家仅有几十米远的小店，直到那天。

那是我放假回家的当天，妈妈刚好去了澎湖，姐姐又去参加一个朋友的婚宴。平常香气诱人的厨房，这时显得空荡荡的，偌大的家，剩下我一个人了。于是，我决定去吃快餐。

店里的小孩子特别多，让人想起童话故事。可能对小孩子而言，没什么会比去吃一次汉堡和薯条更容易实现和满足吧。我点了餐，找了一个靠窗的座位坐下来。

正吃着，突然进来两个人，一瞬间就吸引了我的注意力，因为他们的打扮跟这整洁崭新、富于现代气息的装修格格不入——一个父亲和一个小孩子。父亲身上泛黄的衬衫款式十分陈旧，沾满了油渍，一张脸略显瘦削，满是沧桑。如果我没猜错，他应该是从事户外工作的。小孩子又黑又小，跟店里头任何一个握着飞机跑来跑去的小朋友一比，好像是两个世界的人。

父子俩进了店，一边走一边迟疑地四处张望，眼神里充满了好奇。看样子就知道，他们是第一次来这种地方。

“我们要一份薯条，一杯可乐，还要两个猪肉堡……”父亲看着餐单好一会儿才结结巴巴地说。

“总共32元。”店员脸上是汉堡店的招牌微笑。

“32元？好，好……”父亲低下头，用那只又黑又脏的手在口袋里不停地掏着，一毛一块的全是散币，皱巴巴的，都堆在洁白的收银台上。他慢慢地数着：一、二、三……

店员倒还沉得住气，微笑着等他数，可是排在他们后面的年轻人已经不耐烦了，左右张望，看看其他台点餐的人是不是少点儿，似乎很不乐意等在后面。突然，原本不说话的小朋友拉着父亲脏破的衬衫嚷着：“爸爸，我要那个车车，我要那个车车……”

“哪个啊？”父亲瞪着眼睛看了看玻璃柜子里的玩具，转头问店员，“请问加这个玩具要多少钱？”

“要加10元啊。”店员说着不自觉地望了一下台面上的钱，谁都能看出来那些纸币是不够买这么多东西的。父亲没有说话，有点尴尬，几条皱纹被挤在乌黑的额头上，嘴角努力挤出一个微笑来。我几乎忍不住了，放下手上的汉堡，摸索着自己的钱包。可是最后我没动，我不忍心当着小孩子的面去“帮忙”，况且，我还不知道他父亲会不会接受我的善意。

“那……小姐，我只要一个汉堡就好了。”父亲说。店员迟疑了一下，很快按下更改键。我想，或许这会是做父亲的这辈子第一次进这样的汉堡店吧，却吃不到汉堡，汉堡变成了儿子的玩具车。父亲点完了钱，收起了仅剩的3元，一手端起盘子一手牵着蹦着的孩子，朝我隔壁的座位走来。一瞬间，我看到父亲的骄傲。小朋友异常兴奋，不断地跳着笑着，拿着汽车在桌子上来回地“开”着。父亲什么都没吃，脸上却挂着非常满足的微笑。

我忽然产生了一种强烈的冲动，想为他们做点什么。

我很快把手上的汉堡吃完，走到了柜台。“请再给我一个汉……”我话才说到一半，却发现那个年轻的店员从后面架子上拿了一个刚出炉的汉堡正想离开柜台。她回头跟我说“请稍等一下”就走了。她径直走到父子俩那张台，对那位父亲说：“先生，这是我们今天促销玩具车的优惠赠送，请慢用。”我笑了。

爱，往往不是什么大道理，不过就是一些日常琐事。

网上和网下

○王　英

网下，别人一直对我很愤怒，就好像我总是个不良少年似的；网上，我总是对别人愤怒，就好像我一直是个优秀少年似的。

网下，我明知道那个女生很喜欢我，却不敢去追求——怕被她拒绝；网上，我明知道那个女人不喜欢我，还着脸去追求她——被拒绝也无所谓。

网下，我需要很多人的爱；网上，很多人需要我的爱。

网下，我有自己注定的名字；网上，我有自己喜欢的名字。

网下，别人说我帅我很高兴；网上，别人说我帅我怀疑她有阴谋。

网下，我总是写作，写作，大家都告诉我文学是一个好东西；网上，我总是造砖，造砖，大家都启发我钱是一个好东西。

网下，别人看我总像个孩子；网上，别人看我总像个大人。

网下，我看见别人在说谎，会立刻把他揭穿；网上，我看见别人在说谎，不仅不揭穿，还跟着他说谎。

网下，我常常会犯傻；网上，我常常会装傻。

网下，我见到老同学总是亲热地打招呼；网上，我见到老同学总是用骂他来打招呼。

网下，别人告诉我一个故事，我假装不信，其实很相信；网上，别人告诉我一个故事，我假装相信，其实很不信。

网下，我只碰到两种人：好人和坏人；网上，我也只碰到两种人：男人和女人。

网下，我是被这个城市嘲笑的局外者；网上，我总是嘲笑一个外来者，但我不嘲笑比我有作为的人。

网下，我告诉别人我懂得太少世故；网上，我告诉别人我经历太多沧桑。

网下，我写文章，别人说很有前途；网上，我写文章，别人说前途一片黑暗。

网下，压根没有人怀疑我是个男生；网上，压根儿没有人相信我是个男生。

网下，我总感觉到自己很孤独；网上，我总感觉到自己太喧闹。

网下，我的生活总是有条有理：吃饭，睡觉，学习，休闲；网上，我的生活总是杂乱无章：聊天儿，灌水，泡 MM，造砖，写邮件，上聊天室骂人，去论坛砸人……就好像全网络的事都跟我有关系。

网下，我总是看别人打架；网上，别人总是看我打架。

网下，我因为许多东西不懂而伤怀；网上，我因为比别人懂得太多而伤怀。

网下，我总是戴着近视眼镜；网上我总是带着黑色眼圈。

网下，我管长得漂亮的女人叫 MM；网上，我管所有的女人都叫 MM。

网下，我说错话，别人让我改正；网上，我说错话，别人说脏话。

网下，我一直以为自己很龌龊；网上，我只能承认自己很纯真。

网下，很多作家写东西给好人看；网上，很多写手造垃圾给小人看。

网下，我知道有修养是礼貌；网上，我明白有修养是蠢蛋。

网下，很多人不理解我；网上，很多人不了解我。

网下，我认为只有自己自以为是；网上，我发现很多人不仅自以为是，更恬不知耻。

竹心

○陈　敏

人有时真不知道自己是谁。

大学毕业那年，我忽然心血来潮就和竹心一起报名参加了贫困山区支教志愿团。就在我们即将赴任的前一天晚上，竹心却接到了母亲病重的长途电话。我是第一次知道竹心的寡母多年来一直患有半身不遂，常年靠舅父照顾日常生活。其实平日在校园里我和竹心时常擦肩而过，彼此打招呼的次数却很少。这次只是因为共同的热情才要走到一起，所以我便开始留意起了竹心。我发现竹心是一个不苟言笑的人，说话的声音很轻，白皙而冷静的面庞上架着一副眼镜，镜片后面的眼睛有股深邃的光芒透出。竹心支援山区教育事业的序幕还没有拉开就画上一个休止符，我不禁替她惋惜起来。

我背起行囊独自踏上了征程。

长途汽车在宽阔的马路上呼啸了几个小时后便开始在崎岖的山路上艰难跋涉，颠簸着，摇晃着，喘着粗气，像一个患哮喘病的老人。一路上完全看不见我想像中的山水田园和参天大树，甚至看不到野草野花和牛羊的影子，只看见光溜溜的、馒头一样的黄土包一个挨着一个。身后卷起大团大团的黄色尘雾，天是黄的，地是黄的，甚至每个人的脸也变成了土黄色。我感觉要晕车了，并很快昏天黑地吐起来，我的邻座们纷纷逃离而去。

接近黄昏时，颠簸的车辆终于停了下来，我要发光发热的地方——东卧牛乡到了。我下车和前来迎接我的乡长同志握手寒暄。乡长扛着我的行李带我走了很长一段路，还向我介绍了学校的一些情况。他说：学校三个年级总共有九十来个学生，可教师只有三个，且都是当地人，水平不怎么高，凑合着只能把学生管住。乡长还说教育组下达所开设的课目都开不了，说我这么高水平的人应该尽量多教几门课。乡长指着前面说：“看，那就是学校。”

学校不大，还很旧，倒是被打扫过了。夜幕降临了，学生们都打出了自制的红灯笼来欢迎我。灯笼在黄土包上忽明忽暗，像空旷的天空上寂寞的星星。

一个略上年纪提着篮子的男人把我领进一间很小的土屋说：“这是你住的地方。我跑了好几家才搜集到了一点儿白面，给你蒸了这篮子馒头，够你吃一个星期了。”他又指着墙角的一口大瓮说：“我还让娃娃们给你攒了些水，这里吃水不方便，要走好几里地呢，你就省着点儿用。你早点儿歇，明天还要上课呢。”说完后两个人都走了。

我回头为自己铺床。两只摇晃的凳子上架着四块歪歪斜斜的木板，一坐上去就发出刺耳的嘎吱声，仿佛要拒我于千里之外。一颗滚烫的心顿时像掉进了一盆冰凉的水中，两滴眼泪禁不住滑到腮边。我正琢磨着怎么来铺这个床时，门外响起了敲门声。“老师，是我。”我开了门，一个小女孩走了进来，手里提着一个小木盆。她说：“我叫刘妞妞，王主任让我给您送个木盆，让您晚上起夜时用。”我问王主任是谁，刘妞妞说就是刚才给您送馒头的那个人，他是乡教育组的领导。刘妞妞还说：“王主任说前几个从省城来的大学生老师都是被饿跑的，他怕您也被饿跑了，所以就找来白面给您蒸了馒头。”刘妞妞看着我问：“老师，有了这篮馒头您就不会被饿跑了吧？”刘妞妞临走时再三对我说：“老师，夜里千万不能出门，外面太黑，害怕。”我的眼泪又一次掉了下来。我翻看那篮馒头，这是怎样的一篮馒头啊，又黄又硬，和这里的黄土包差不多一样。如豆的灯光下我做出了果断的决定：赶快离开，这里简直不是人待的地方。

第二天，天刚麻麻亮，我就收拾东西回城。我用一点儿浑黄的水洗了把脸，就匆匆地出发了。赶到车站，我发现乡长和那个王主任已经在车站了。乡长看了我一眼，干巴巴地说："我知道你会走的。"我似乎是拿鼻子笑了一下，就头也没回地登上了开往省城的长途客车。

我又回到了校园。通过半年的努力，考取了我一直崇拜的尤教授的研究生。三年后又以优异的成绩留校任教。

在匆匆流逝的时光中，我忙于学习，忙于工作，忙于职称，忙于爱情，忙于房子，忙于孩子，像一条穿梭于城市海洋中的鱼。

又一个新学期开始了，我接了一个新生班的课。这天，我庄严地走上讲台，兴致勃勃地做了自我介绍，然后让学生一一做自我介绍，我要熟悉这些来自天南海北的学生。轮到最后一排的最后一个女学生了，她笑吟吟地站起来说："白老师，事实上我们在六年前就已相识了。您还给我当过一夜老师呢！我叫刘妞妞，来自甘肃阴山县的东卧牛乡。我们家乡的变化可大了，现在已经通了电，接了自来水，还办了一所希望中学……"

我的脑子有些混乱，脱口问了句："你的老师是谁？"

"竹心，她说她认识您。她现在是我们那所中学的校长。"

"竹心！"我无意识地重复了一句。我觉得有一团火开始从我的耳根燃烧，一直燃烧到面部又燃烧到了每一根发梢。

面子与里子

〇晨　新

我们公司是一家小公司，整个公司加上财务后勤也不到20个人。但那次公司发了个很漂亮的招聘广告，一下子惊动了不少高级人才，麦洁就是那次招来的一个从美国回来的“海龟”。

麦洁一来就是设计部主任，暂时就坐在我旁边。老总很恭敬地说：“条件不太好，过几天就给你腾一间独立的办公室。”麦洁倒还谦虚：“不用，我喜欢和同事们在一起。”

也不知道是因为公司和国际还没接上轨的原因还是怎么的，麦洁的想法总是和我们不合拍。她叽里咕噜说的那些术语，我们也听不大懂，我们的工作她又插不上话。这样，她就有一种被架空的感觉。麦洁找到老总请辞，却被老总挽留了。麦洁虽然没有辞职，但从此行踪不定。有时，一整天也见不着她的影儿。

有一天，我和她聊起她在美国的生活，看她聊得高兴，我就顺便问她总在外面忙什么。麦洁笑笑说：“我现在是某某公司的设计总监。”“某某公司，那可是世界500强的强中强呀，厉害！不对，你不是还没有辞职吗？”“没有，这边我还兼着职呢，隔三差五的我还会来看大家的。再说，我也舍不得大家呀。”麦洁真的是在兼职，只要她一回来，就要到老总的办公室请安。麦洁在公司的人缘也非常好，每回她来，大家都停下手中的活儿，陪她聊天儿，但从不涉及公司业务。

这天，老总领着几位客人到办公室参观，当走到我旁边麦洁的空座位时，老总说："这是我们的一个美国博士，普林斯顿大学的，现在她有事出去了。"客人一听，羡慕地说："不错呀，你们员工素质够高的呀。"老总笑眯眯："哪里，哪里。"

麦洁好久没来了。到了发薪水的日子，会计拿着工资表在给她打电话，大家凑上去一看，哇，依然是主任级的工资水平。会计在那里嘟囔着："这个麦洁怎么了？连现成的工资都不要了……"这话让我们这些兢兢业业为公司卖命的人好伤心。

当天下午，公司召开会议欢迎一家外资公司的中方代表，经理在介绍公司时说："我们公司员工素质很高，有普林斯顿大学的博士，还有……"听到这里，大家就明白了，原来面子就是比里子值钱呀！

国产主义“海龟”

〇丁　捷

老同学张玲大学毕业就去了美国，前年疯疯傻傻地回国。我去机场接她，她劈头就问：猜猜我为什么回来？我说爱国主义“海龟”呗。她说有点儿对，但准确讲，应该是国产主义“海龟”。问她什么意思，回答：纽约时代广场竖起了中国“三九”的大广告，让她自豪；拉斯维加斯赌城大酒店房间一打开，赫然可见海尔冰箱，骄傲；转道香港，头一抬，哇噻，地铁站里硕大的新科学商标！到处澎湃着国际国产主义的热潮，把她激荡回祖国的怀抱了。

张玲回来，隔三差五能碰上我一面。一唠，就是在郊区买了一栋纯中国农村平瓦房。二唠，说完成了传统式的装修，把屋子里弄成了明清风格。三唠，说是拍得几幅名人字画，宋文治的山水在客厅，林散之的字在书房，喻继高的工笔在卧室。四唠，订了几套旗袍和对襟小袄，小胸前绣着云锦，漂亮呆了。五唠，把名字改了，叫张吾灵，很中国呢。第六次见面，她让我参考一下，能不能买一辆真正的国产车开开。我告诉她，真正的国产车不止一款了，便宜，可是……她说，这跟便宜不便宜没关系，国产，就好。

第七次跟第六次见面之间，隔了不短的时间。张玲，哦，张吾灵中间来过一个电话，说是咳嗽厉害，老不见好，发现病因竟然在房子的涂料和家具的油漆上。她有点儿倦怠地说，没想到国产的涂料至今不环保呢。我说你不能买太便宜的东西。她委屈地说，这跟便宜不便宜有什么关系呢，环保是起码的呀。我说，哦，第一次听说。

再一次见面她劈头就问能不能替她找个律师。我问什么事，她说，有文化界的朋友到她家里玩，说她满屋子的名人字画不见一个真迹，她要告拍卖公司。还有，买的一套布沙发，几个月坐下来，居然露出一大截钉子，刺伤了尚娇嫩的屁股。她骂了一句很国产的话：他妈的。

我劝她，在国内买东西，要货比三家，若对质量没有把握，就挑贵一点的，稳妥些。她坚持己见，说价格是用来区分档次的，不是用来界定真伪的。再说，往贵里挑，就只能挑外国牌子了，大部分所谓外国牌子的东西如今还不是中国制造的嘛！……我又好心地提醒她，买字画就要另当别论，越贵的出假率越高，而既贵又假的字画鉴定十分困难。她傻了眼，一个劲儿说，那怎么办，那怎么办？

后来见张吾灵，还听她控诉过几件事。比如，坚持买一款国产手机，有两个数字键用了几个星期就失灵，换了一台还是老毛病，再去换，商家说，小姐，拜托使劲儿按好不好。不过也有让她高兴的话题，用相当于一半进口价买的抽油烟机，抽劲大极了；不到两千元买的国产大彩电，效果一点儿不比进口的差，等等。我发现她终于有了真正的国产心态，为她松了一口气。

两年下来，为商品质量忽喜忽忧的状态，在张吾灵的身上得到了控制。年中见到她，忽然想起买车的事，就问她买了没。她说，她看中了某品牌国产车。

我十分钦佩她对国产品牌的执著之爱，同时提醒她，同价位的车很多，质量很好，大多数虽说是外国品牌，实际上都是合资厂生产的，可算是国产了。她告诉我，她就要买那个牌子，而且要买好多好多。见我不解，她说，她在跟一个朋友一起合股做那个牌子的地区代理，建4S店。

我不得不替她捏一把汗，对她说既然是做生意，这选牌子就太重要了，几百万几千万投下去，不是闹着玩儿的。她说，你看看，那个牌子的汽车卖得很好啊，街上已经跑得到处都是了。我立即告诉她，最早的一些客户已经开始反映质量不稳定的种种问题。她大声地说：哥们儿，这就是商机啊，我们看中的就是它，国产，好卖，一段时间后问题不断，先卖出很多，后头还跟着多么巨大的维修前景啊！

我恍然大悟。“海龟”就是“海龟”，这么精，什么学费也不肯白交啊。

红唇之谜

〇关　宏

会议室里的气氛明显地洋溢着喜悦，各部门正副经理都已经到齐了。然而在霍总经理走进会议室的一刹那，差不多所有的部门经理都在片刻间愣了一下——

霍总是在前几天从副总经理的位置上被正式任命的老总。霍总已是接近知天命的中年妇女，但风韵犹存，思维敏捷，尤其是她常常抛出的魔术般的点子使公司的知名度大大提高，销售额也直线上升。因此，霍总很是受员工们的爱戴与钦佩。

只见霍总笑吟吟地迈着不同往常的步子走进来，平时那个素面朝天、穿着灰色套装的职业女性不见了。她穿着蓝底玫瑰花的连衣裙，把平时掩饰得还算好的肚子凸现出来，显出了中年女性的臃肿。眉毛看得出来是精心修剪过了，没有了平时的自然。最刺眼的是她那鲜红夺目的红唇，那种红色的唇膏我认为是属于少女的，平常不被留意的霍总的嘴巴现在看起来是如此之大，配在她那并不细腻的脸上，竟显出十分的岁月沧桑感。

我想，大家肯定也和我一样有着强烈的疑惑：莫非霍总升任了总经理高兴得糊涂了，还是她本来的臭美欲望被这个高位呼唤出来了。

霍总落座之后，说："首先我问大家一个问题。你们都知道，我被董事会任命为总经理。既然是这样，我就希望公司在公众心目中建立一个新形象，现在我就从自我做起。各位都是这几年一块打拼过来的，相互都比较信任。你们看我这样代表公司的形象怎么样?”

谁也没想到霍总会提出这样的问题，看着满脸兴奋之色、像小姑娘般等待夸奖的霍总，大家面面相觑。

还是公关部的经理先发了言：“不错，确实是一种新的形象。尤其是霍总今天打了口红，看上去年轻多了。”听完这话，霍总显得非常高兴，好像是为自己的新设计得意。

接着广告部经理说：“是啊，在广告上我们就是要营造这种出奇制胜的效果，霍总娇艳欲滴的红唇增加了青春的魅力，至少年轻了十岁。”接着，有几位经理又对霍总的花裙说了一些赞美的话。

我看到霍总的眼睛更亮了，神情更加兴奋。

作为销售部副主任的我心里十分不舒服，我认为霍总这样打扮并不好，平常不是挺好嘛，都快五十的人了……

我正想着，销售部李经理说话了，这个四十岁的男人清了清嗓子，似乎很费劲地说：“我认为公司形象是建立在产品、信誉等主要方面。而老总的形象更应该注重内涵。我认为，霍总平时的外表就十分得体端庄。我希望霍总不要介意，您的口红，显得有点不和谐。”

李经理话一出口，我看到霍总的脸色立刻就变了。室内的热烈气氛降到冰点，一时间安静极了。我不禁替李经理捏了一把汗。

“晓丹，你认为呢?”霍总点到我了，“这里除了我，就你一个女同志了。”

本来我想保持沉默，蒙混过关就算了。可是……瞬间，我就把自己的情况扫描了一遍：还年轻，有一定的业务能力，在公司有着还算不错的人际关系，有提升的可能……如果这次得罪霍总就只有“开路”了。可是如果我说了违心的话，就损害了近三十年追求、修炼的做人准则。

“我不知道霍总想听真话还是想听假话?”我耍了个噱头。

“当然是真话。”

“那，我同意李经理的观点。”我还是不顾一切地把心里想的说了出来。

霍总看看我，又看看其他人，冷冰冰的一点表情都没有。“谁还有什么看法?”回答她的当然是沉默。

“那就散会吧!”霍总转身走出了会议室。

会议不欢而散，我心里想：完了，霍总气得连讲业务的心情都没了。

可是，霍总在第二天就恢复了原来的装束，在第三天就大刀阔斧地调整了公司中层的管理结构——销售部的李经理升任副总经理，我被提拔为销售部经理，而原公关部和广告部两位经理都降半格使用。

用霍总后来的话说，就是要能够继续听到真实的声音。

年 关

○纪富强

年关一到，小站四周忽然拥挤起来。

在这个偏远的石镇，小站是最先闻到年味的地方了。车门一开，地摊儿一摆，远远近近人那个多啊！拥着挤着下车的，匆匆忙忙赶路的，逛集的，卖糖葫芦的，捏泥人的，赶着牲口呼呼啦啦穿街过巷的，排山倒海，热闹非凡。

石镇的新年，就是被那些半旧不新的汽车从城里拉来的，是被乡亲们挤出来的，是大家伙儿吆喝出来的。和祥就是和那些手提肩扛大包小包的乡亲们一起，被一辆破破烂烂的公共汽车拉到镇上来的。

和祥是个警察。

和祥是从县城临时抽调下来的便衣。临行前局长说了："一到年关，各地方人山人海，'小偷公司'也到了置办年货的时候了，你们下去时都机灵点，一定要搞出成果，切实让老百姓过个踏实年、放心年！"

和祥热血沸腾地回家换衣，装还没化完，新婚的娇妻就笑得直不起腰来了。时间紧任务重，和祥急得不行，一边将旧衣服往身上套一边喊："别笑别笑，你看看还缺啥?"娇妻临别一吻，送他个玉菩萨后深情地送和祥出了门。

石镇的治安状况一般，各类案件时有发生。和祥被分到这个镇子，感觉身上的担子不轻。

和祥看似悠闲地逛来逛去，其实手眼心神时刻如鹰般警惕。

两个提大包的外地人下车了，听口音还是东北那圪的，和祥眯着眼跟在他们后面。果然又是卖假长白山人参的！都老掉牙的伎俩了，竟还妄想在石镇欺骗老百姓！和祥蹲在人窝里看了一会儿，等有乡亲上当了，便低头朝领口的对讲机咳嗽三声，集市另一头的联防队员栓子他们就奔过来了。

接着又碰见一个倒假银元的，三个人互为托儿把包着牛皮纸的苹果肉当牛黄卖的，都是老把戏，可因为他们无耻逼真的表演，仍有不少乡亲们上了他们的套，心甘情愿地把辛苦一年挣到的钱白白送给了这些骗子。和祥没有轻易暴露自己，呼来联防队员也假装上套就把他们挨个铐回派出所去了。

时近晌午，收获颇丰，和祥踌躇满志。忽然，和祥前面一个肉摊子处围拢起了云彩厚的人，和祥赶忙上前看个究竟。

竟是卖肉的屠户正挥着刀背砍人！地下那人已被劈得屁滚尿流，叫爷喊奶，眼看着血流成河了。原来这人偷扒了女人腰里的钱还乱摸索，恰被屠户逮个现行！和祥见这架势，非出人命不行，急忙挥手插入人群，扯开发疯的屠户，低头查看扒手的伤势并冲机子喊人帮忙。

屠户愤怒的刀锋就在腊月正午的日头下砍落，众人只听铮一响，鲜红的血注喷溅而出，和祥猝然倒地。人群迅速分散开来，冲过来的栓子他们吼着喊着将和祥往小推车上抬。

屠户傻了，这些年每到年关被该死的扒手偷怕了，竟把和祥错当扒手的帮凶了！屠户醍醐灌顶般抢过小推车就往镇卫生室奔，一路上人群像他案子上白花花的肉一般向两边喧哗着翻开。

都别紧张，和祥没事，就是擦破了点皮肉。那关键处的刀锋和脖子后的玉菩萨接了吻。玉菩萨归西了，和祥却有惊无险。

屠户姓张，趁年关进城给和祥送了只猪后腿。和祥爽快收下，将钱掖进袋子并回送了两瓶白酒。

大年夜，和祥一家吃上了石镇最好的猪肉。

过杂志一样的生活

〇王大京

一个女孩对我讲过一句香港电视剧的台词，她说这句台词特深刻，说是一个搬进新家的单身男人，手捧美酒环顾四周感叹道：“我现在过的可是杂志一样的生活。”杂志一样的生活是什么样的呢？大凡杂志男主角多是有钱、英俊，穿名牌、喝洋酒、泡吧，最重要的一点是单身。她感同身受，于是要做杂志女主角，坐立起行都以时尚杂志为准绳。这个女孩是我的朋友的朋友，叫南。

我做了好长一段时间的女性时尚杂志编辑，读者的形象心中总有个谱，所以听朋友说起南时，总可以想像个十之八九。一定是那种非常精致的女孩，每天要换不同的指甲油和心情；讲究丝巾的搭配；一天要吃一个西红柿和一个鸡蛋；知道怎样对男上司笑得讨好又不失礼，同时与同事保持着不远不近的距离，让你在需要她的时候，她在，但是她又麻烦不到你；至于今天的爱情运如何，那得翻一下星座运程的书了。

说真的，这种生活是我努力追求而且很崇拜的生活。因为现在所有的时尚培养出来的女人都有一个统一名称：物质女人。听起来都气度不凡。但是我很清楚自己离这个距离还远。转念一想或许所有制造时尚的女人都离这个比较远。因为前几天还听到一个同行的传说：有一天，他们杂志社的办公室突然出现一个穿白色长裙的女孩，特淑女地和同事打招呼，大家都极度惊讶，以为某某人真的转了性。谁知道不到半个小时，这位小姐就忘了自己长裙在身，忘乎所以蹲在椅子上找图片，一时传为经典段子。

我的朋友一直说南想见我，说是很喜欢我编的东西。但是我真的不想见南，我不想让我的读者伤心。后来还是以我的工作本色见了她，果然不出所料，她指着我的运动鞋尖叫："原来时尚就是你这样的人弄出来的。"但是我想她一定明白，制定规则的人通常都是不遵守规则的；制造时尚的人，为什么一定要时尚？如果我不穿运动鞋，我哪能跑那么远？找那么多的时尚资讯？或者说，哪一天，我不用编杂志了，也就可以享受杂志一样的生活了。

一条裙子

○细　雨

阿伦要赶在约会前完成女朋友雅思交给他的任务，到天河城给她买一条裙子。前天，他们共同看中了那条镶着花边的裙子，并谈妥了价钱——298元，因为前天带的钱不够，说好了今天来买。

商铺如林，衣裙如海，阿伦看得眼花缭乱，还没有找到记忆中的那条裙子。他渴了，买了一罐可乐站在路边喝起来。

“大哥，你有单位吗?”不知什么时候，他的面前站着两个乡下人，一个少女和一个中年女人。

“有又怎样？没有又怎样?”阿伦顺口答道。虽然母亲一再提醒他不要搭理陌生人，虽然面前就竖着一块派出所的防骗忠告牌，但他还是改不了好奇的习惯。

“可不可以到你的单位打个长途电话，单位打电话不要钱。”那女人说。

阿伦没好气地说：“那么多公用电话亭，你不会去打吗?”

女人说：“打了很多电话了，儿子没找到，钱用完了。只要再打一个就行了，叫孩子他爸来接我们回去，就一句话。”

少女瘦小而憔悴，但端庄而整洁，一副依赖母亲的表情，显然不像被拐卖的少女。

也许是面对一个少女，也许是涉世不深，阿伦做出一个毫无准备的动作，他把可乐罐子往垃圾桶顶上一放，掏出手机说：“就一句话吗？可别唆啊。什么号码？”

女人赶忙报上区号、电话号码以及村主任的名字，电话立即接通了，女人双手接过手机大声喊道：“主任，我是志国他妈，你去喊志国他爸来。”村主任立刻叫志国他爸去了，可能村里就这么一部电话。

阿伦傻了眼，这村子到底有多大？村主任要是从村东头跑到村西头去叫人，得花多长时间？说不定这个志国他爸还在田里干活儿呢，那我这个月的长途话费可就多了。阿伦催促：“快点快点。”女人握着手机如抓着命根，死活不放手：“很快，很快，就来，就来。”

志国爸来了，女人赶紧说：“我们两天没吃饭了，打电话把钱打光了，还没找到志国。这里人说，海鲜酒家有几十个，这么大的城市往哪里找啊！你快点来接我们，把家里的300块钱全带来，就在火车站卖票那里等。”女人半句废话都不敢讲，说完立即把手机还给阿伦，说了许多个“谢谢！”

阿伦准备离去。突然，他眼前一亮，在乡下女人背后的橱窗里，他和女友心目中那条美丽的裙子，套在没有头脸的模特儿的腰间，精细的花边和精纺的纯棉质地，展现了独特的设计和优良的品质。

这时，阿伦的耳边响起了一点笑声，那对乡下母女正在喝阿伦没有喝完的可乐，你一小口，我一小口，细细品尝，谁也舍不得多喝一口。她们是那样的欣喜，为了喝可乐，为了可以回家过年。

像被什么东西咬了一口似的，不知道什么地方有一点痛。阿伦心里产生了一种堵塞的感觉，很不舒服。然后，他又产生了一种从未有过的冲动，仿佛要疏通这个堵塞的地方。

阿伦径直走到那对母女面前，把300块钱塞给那位母亲，闷声闷气地说：“给你们当路费吧，别叫人来接你们了。”接着，他的视线避开慌张的母女，避开高贵的裙子，转身冲进了拥挤的人群。

阿伦的脸有点热，他感到害羞，也感到愉快，说不清楚为了什么，只觉得一种如释重负的解脱。他生怕碰到熟人，疾步如飞。他得赶紧去会雅思，似乎只有那样才能逃脱这种尴尬。但如何向雅思解释呢？实话告诉她，万一被她嘲笑自己傻瓜，怎么办？要不编个借口骗她，说那裙子被人买去了。

雅思已在绿茵阁餐厅等他，幸好，她没有提裙子的事情。但是，阿伦掩饰不住内心的不安，他不是一个善于撒谎的人。他在坦白前先来一个开场白：“其实，我是一个很傻的人。”没想，雅思也有同感：“其实我也很傻。”阿伦提议：“你先说一件傻事，我再接着说。”雅思想了想说：“行，但是你不许笑我。”

雅思像做检讨一样说道：“刚才我在门口等你，有两个乡下人问我借手机打电话，我怕她们骗走我的手机，所以不理她们。她们就一直站在餐厅门口，一个一个问人借手机，但一直没有人理她们。后来，居然有个男人借给她们。我听见那女人说，她们遇见一个好心人，给了她们300块钱当路费，请家里不必带钱来接她们了，还说她们喝了可乐，很甜。我突然觉得很不舒服，好像欠了她们什么似的，就跑过去塞了100块钱给那女孩。那女孩不要，追着还给我，我跑进餐厅。保安拦住了她们，我不知道她们和保安说了什么，保安就是不放她们进来。她们就在外面等，过了好一会儿才走。我觉得很尴尬，好像我是逃犯似的。”

阿伦静静地看着雅思的眼睛，那清澈的眼睛像一面镜子，他从镜子里看见了自己。雅思被他看得不好意思：“你说我是不是很傻？”

阿伦反问她：“假如我没有给你买裙子，而把该买裙子的300元给了那两个女人当路费，你会不会觉得我比你更傻？”

雅思把阿伦的手握进她的手心，一股暖流在两颗心中流动。暖黄色的烛光中，他们竭力忍住几乎夺眶而出的泪，幸福的泪。

民工张三的婚礼

○萧　萧

快过年的时候，民工张三觉得自己该结婚了。结婚本来不是什么特别的事，他所在的这座大城市，每天都会有上百对的新人坐着各式各样的花车走入洞房，那些新娘子身上漂亮的白色婚纱让张三的女朋友羡慕得舌头都长了几寸。看着女朋友那副馋相，张三打心眼儿里觉得难过。

女朋友是张三进城之后认识的，不漂亮。漂亮的女孩子不会在饭馆洗盘子更不会嫁给张三。与她一起进城的女孩子，有的给大款当了小蜜；有的去干一天挣几百元的“好工作”去了，最逊的，也嫁给了在城里做小买卖的小贩。只有她，还像刚来那样，蓬着枯黄的头发在小饭馆里混日子。张三就是在常来饭馆蹭汤时认识她的。张三这种寒酸客人，是老板娘最讨厌的。

其实，除了太穷之外，张三这人其实并不讨厌。为了能在寒冬腊月向老板娘讨一口热汤泡饭，他时常免费为饭馆运煤倒泔水，这些力气活儿没能感动老板娘，却感动了和他一样苦着的乡下妹子。他们相爱了，张三觉得万分幸福，他发誓要让女孩子跟了自己之后，能够幸福。

经过两个月的筹划，他们在三环路之外的农舍里找到了一间月租金100元的房子，这座城市最便宜的这间房子将耗去他们月收入的1／5。接下来，张三买来涂料，将那九平方米的小屋粉刷了一次。小屋虽然还是那么黑暗，但毕竟干净了不少。因为房子太小，床又太贵，他们只买了一张床垫放到地上。这已使张三和他的未婚妻非常满足了，因为从小长到大，这张床垫已是他们睡过的最好的床了。

之后，他们决定去照一张照片做留念，他们换上干净衣服来到公园里，照相之前，张三特别嘱咐摄影师，一定要把远处那一幢高楼照进去，因为去年他就在那里做工，而且险些摔死。

喜酒照例是要摆的。抠门儿的饭馆老板娘破例优惠，八折为张三摆一桌。张三想了半天，还是决定只要了半桌，倒不是他想省钱，而是他实在想不出，在这城里近1000万人中，有谁会来赴他的喜宴。最后，终于有三个工友和邻近的一位打工的诗人来赴宴，大家真诚地为张三高兴。

因为没当地身份证，他们没有办结婚证。没有结婚证的新娘也是新娘，她不漂亮的脸上洋溢着漂亮的笑容。新郎幸福地用散装白酒和低档烟向大家表达了谢意。在喝第一杯酒之前，由新郎致辞。张三脸憋得通红，说：只要锅里还剩一碗稀饭，我都会让你先捞干的……

众人笑了，新娘哭了。她身后的马路上，一列长长的迎亲车队浩浩荡荡地驶过，那轿车里的新娘子，头上的花瓣随风飘扬着，非常美丽……

“省委组织部长”尤拉

○杨匡满

在西伯利亚做生意的老马不止一次跟我吹过，他在俄罗斯有一帮很“铁”的朋友甚至是“铁哥们儿”。果不其然，我到的第二天开始就出场了。

我们还正在吃早饭时尤拉就到了，进得门来，脱下一顶“列宁帽”，脱下黄褐色的短棉大衣，就进老马那间大一点的屋子，自己从柜子里搬出打字机，同老马说了一阵什么，就劈劈啪啪打起字来。

我有些纳闷儿：老马，他吃过早饭了吗，你不问问？

老马说：不用管他。俄罗斯人朋友间也不一定要问吃没吃饭。

我打量起这位尤拉，这是一张十分憨厚的脸，年轻时肯定也很帅气；他中等个子，五十岁上下，越发有点“列宁”的味道了。

尤拉是来为老马打几份商业文件和邀请函，老马在俄罗斯闯荡了那么些年，口头交流基本不成问题，但形成文字毕竟不行。

接着，不断有电话打来找老马。老马只好抱歉地对我说：麻烦你了杨作家，中午饭你自理了，还麻烦你招待一下尤拉。

尤拉目不斜视地打着他的文件。一个小时，两个小时，连头都不抬，连一口水都不喝。我真觉得他不光是劳动模范，简直是台机器了。只是当我于心不忍地用“热得快”烧水给他送上一杯茶时，他才看我一秒钟——也就一秒钟，轻轻说一声：谢谢。

我不知该如何做一餐午饭来招待这位劳动模范。我翻遍厨房里的冰箱，只有几个小西红柿，两条黄瓜，一块熟肉，若干个鸡蛋，连面包都没有。可见老马在俄罗斯就像单身男人那样过日子，吃了上顿没下顿。

怎么办？我连到哪儿换卢布都不知道。好在口袋里有北京带来的100卢布，就在楼门口的售票亭随便买了个面包。

电炉灶倒是很干净很方便，可是那慢就别提了。烧一小锅水都得半小时以上，别说做饭炒菜了，再说也没有炒菜用的锅，老马上次回中国时本想“收摊”了，把炒菜锅、热水瓶、酱油之类全送了人。俄罗斯人是从不炒菜的，没有中国的炒锅，只有煎鸡蛋的平底锅，要么就是煮肉煮饭的大锅。他们的正餐就是炖一锅肉汤里边加胡萝卜土豆之类，切几片生菜或者俄式的半生半熟的熏鱼就着面包黄油果酱就行了。想喝酸奶自取。

我灵机一动，有了！我不是带来了几袋榨菜吗？榨菜鸡蛋汤，用不着炖，水开就行。熟肉、黄瓜、西红柿是现成的，各切一盘就行。

吃饭的时候，我发现尤拉还能接受我的榨菜鸡蛋汤，我不由得松了口气。不过他最钟情的还是那几片西红柿，他用它蘸一点盐，细细地品味着这天下美味的佳肴。

我说：你真是个优秀的共产党员！

尤拉有些腼腆，似乎还有点脸红。他耸耸肩笑笑，没有说什么。

我早就从老马那里知道尤拉的过去。尤拉·米哈依洛维奇四十岁时就是前苏联阿尔泰边疆区区党委的组织部长了，前苏联的区相当于中国的省，也就是说，尤拉那么年轻就是省委组织部长。可正当他前途看好的时候，苏联解体了，苏共也解体了。尤拉内心的痛苦和不平静，是可以想见的。尤拉只有早早地办了退休手续，退休金是不多的，像他这样的“高干”，也就是3000卢布，合人民币800元吧。

他给中国人打起工来。中国商人、“倒爷”大量涌进俄罗斯。为什么他对中国人情有独钟，他自己也说不清楚。

尤拉工作起来一丝不苟，不迟到不早退。你让他乘出租车赶来，他肯定不干，他有公交月票，他要为你节约。如果你没有主动提出该付他报酬了，他决不会主动问你要钱。如果你要远行，把公司托付给他，那你就放心云游世界去吧，他不会拿你一针一线。

尤拉早先也上过一个中国“倒爷”的当：跟人家合作，把当初分给自己的一套房子都作为抵押。结果赔了，“倒爷”跑了，他的其中一间房子也被抵押了。好在他还有原先的一套。可憨态可掬的他并不同意大部分俄罗斯人的观点：中国人优秀的都去了西方，不优秀的才来了俄国。他不改初衷，仍然为中国人打工，仍然认为中国人95%是好的。

难怪老马打趣说，自己在西伯利亚依靠尤拉就跟共产党依靠产业工人和贫下中农似的。

某高校学生与食堂签订的协议

〇佚　名

甲方：某高校全体学生

乙方：学校食堂全体职工

本协议甲乙双方应本着互相谅解、互相尊重的原则：即食堂工作人员谅解学生的行为，学生尊重和适应厨师的手艺。

乙　方

第一条：油炸糕、馅饼等食物的直径必须超过5厘米；

第二条：包子馅儿里出现“小强”（蟑螂）的次数，平均每周不得超过三次；

第三条：肉菜里面肉的含量必须超过5%，米饭里面沙子的含量不得超过30%；

第四条：一些家常菜必须标明名称，或至少能够使十个以上同学辨认出菜里的物质成分；

第五条：馒头和花卷儿必须保证是完整的，至少不能被其他人咬过或遗留下齿类动物的牙印；

第六条：盛饭时不准依据女同学的相貌决定打饭的数量；

第七条：每次饭菜出锅后，厨师应当着至少十个以上同学的面亲自品尝，在嘴里咀嚼的时间超过10秒钟，才可以供全体学生食用。

甲　方

第一条：不准在食堂的墙壁上刻上厨师的名字，并在旁边悬挂“小强”（蟑螂）的尸体，举行追悼会等等；

第二条：不准用馒头、花卷儿等伤害性极大的硬物投掷厨师颈部以上、腰部以下的部位，以免造成致命伤；

第三条：由于饭菜造成的呕吐，不得故意跑到打饭窗口对着厨师进行，以免影响其他同学的食欲；

第四条：不得要求漂亮美眉拿十个以上的饭盆打饭；

第五条：女同学在吃包子的时候发现已经法定死亡的“小强”（蟑螂），尖叫音量不得超过90分贝；

第六条：不得利用食堂的饭菜作为玩扑克牌失利的惩罚赌注；

第七条：当天主打菜如果是鸡爪子，严禁集体把鸡爪子中指竖起来，对厨师进行侮辱性挑衅。

以上全部条款于2011年3月1日起执行，如果某方违约，将负责吃光食堂当天所有剩饭。

等待被雨洗过的天空

○张　黎

刚搬进新房子，两人生活还来不及细细地过，小姑子便从老家考学来了北京城。

去火车站接站的那天，我特意提前了几个小时，辗转几路公车终于在火车进站前半小时到了。方歇了口气，兜里小巧的波导手机就响了起来——小姑子还没进站，就在车上不耐烦地问："你们到了没有，我可快到了。"我忙不迭回答："已经到了，已经到了，就在北出站口。"那边就倏地收了线，剩我怔怔拿了个电话在耳旁。

接了小姑子的行李，她像个导游般地领在路前，嘴里展开一连串的发问。

"我老哥呢，怎么不来？"

"你怎么穿裤子，不穿我送你的旗袍？"

我噎住，3 个月身孕了，我还能穿旗袍吗？

"先去你们家还是去学校？"

"北京真脏，你和我哥住哪儿？"

有了身子本来就觉得拿重物有点儿力不从心，现在又摊上这一串连珠炮，我心口堵闷得不行，脸色愈来愈白。走到车站出口，我拦了一辆夏利。小姑子叫了起来："没搞错吧，打的啊，没有地铁到你们家附近吗？"

换了趟公车，终于上了地铁，小姑子突然睁亮了眼睛，神秘地往我耳上一趴："嫂子，家乡没地铁，听羽泉唱《开往春天的地铁》的时候我就发誓，将来考上北京，第一件事情就是坐地铁，看地铁会把我带向哪儿。"

"带到家。"我闷闷吐出3个字。

小姑子侧开身，翻了大白眼给我："你怎么突然这么没想象力了啊？"

我低头看脚上黑黑的皮鞋，发现城市的灰尘经过疲倦的旅途，一层层寄居在鞋面上。我的心皱了起来。

就这样，小姑子在我们二人的生活里生活开来。等我怀孕到第五个月的时候，我几乎以为自己已经习惯了这么一个爱人之外的人——用我的QQ和我朋友聊天儿，用我的信箱收她朋友的伊妹儿，洗我的海飞丝，喷我的兰蔻，擦我的资生堂，穿我的耐克，还偶尔睡在我的床上，让我递几张报纸。

习惯之后依旧每天写点儿梅兰竹菊的文字，听种种颜色的故事。甚至容忍着这个爱人之外的人，指着我的文字，嘴里嗑着永远不变的西瓜子说，嫂子，你好像民国女子似的。或者某个时刻尖声叫，嫂子，你怎么这样世俗？又或者掉着泪告诉我，嫂子，你说的这个真感人。

但是我又是那样地不习惯这个爱人之外的人，看她穿短短的外套，把天空的蓝色涂满那间原来的客房，从学校里带回来同学和老师的新闻。还震惊地听楼下监控处的保安向我含蓄地投诉，她乘电梯的时候从来不直接按自己的楼层，而是那么一层层地按，从开门，关门；又开门，又关门直到家门口。这个时候，我就开始想不明白，从民国到现在，有多少年了？

突然一天，我敲着一些凌乱的字，家里的门铃响起来，我奇怪极了，实在想不起来，这个家里还有没有钥匙而需要回来的人。原来是小区的保安："张小姐，您能不能下楼来一趟？"

我忍不住纳闷儿："怎么？"

"咱们这栋楼前，有个女孩子，好像是你们家亲戚，已经淋了差不多一个小时的雨了。"保安礼貌地说。我脑袋轰地响了一声，来不及问，急忙抓了一件外套披上就下楼，看见雨里站着一个格子裙下露着破烂的牛仔裤的女孩子。天啊，我急忙冲了过去，拉了她的手就往楼口走，她的手在我手心，冰凉立刻传遍我的身子。不料，小姑子却甩开了我，还叫我："别闹！"

我呆在雨里："你，你这是干吗？"

小姑子转了头，雨水沿着她的小脸蛋儿流向领口："我在等一样东西。"

"什么？"

"等阳光经过。"她慢悠悠地说，"北京这个城市真是没意思极了，天空上永远浮着一层你揭不去的灰幕，老也不下雨，我一直在等，等下雨的这天，我要看看，当雨把天空洗刷后，阳光经过，这个城市会露出什么样的面目。"

雨，终于停了，我第一次看见北京被雨洗过的天空。当阳光终于经过，我突然觉得，此刻的天空真像极了我身边的这个女孩子！

“土拨鼠”的青春记事

〇苏　珊

凯西是我的同屋兼死党。历史书上解释：朋党，意气相投耳。我也没有料到，在我波澜不惊的教书生涯中会有一个来自美利坚的曼妙女子和我称兄道弟形影不离。凯西是学校请来的外籍教师，一个典型的金发美女，白皮肤，蓝眼睛，秀挺的鼻子，丰满的胸脯，一见人就笑，无论老人小孩、良民色狼——当我在这里历数她的优点时，真恨不能钻进我妈的肚子里重新投胎一次。我长得不美，借用一个网络词语叫“恐龙”，皮肤黑，鼻子扁平，眼睛下面还有两块“雀斑农场”，因为太瘦，无论多昂贵经典的衣服穿到我身上都显得滑稽可笑。有好几次，我对凯西说：“凯西，这太不公平了！”她瞪着一双漂亮深邃的眼睛说：“什么意思？”我委屈地说：“每次出门总有数人看着我们指指点点，我让你更美，你却让我更丑！”我本是开个玩笑，凯西却用不太流利的中文一本正经地解释道：“不，苏珊，我和别人走在一起时大家老是看我，但和你走在一起，大家都是看你。”我几乎晕倒：“因为我太吸电！”“什么吸电放电，因为你走路的样子神采奕奕，看上去像一只自信而漂亮的孔雀。”长到24岁，凯西是世界上第一个说我漂亮的人。

我和凯西每天出双入对，像一对反义词，相随相伴，成为外语系一道风景。她是美女，我是土拨鼠、灰土豆。久而久之，“抗挫”能力日益加强。毕业前夕，我们四处求职，四处抛媚眼，同寝室的女孩子每天早出晚归，回来碰头的第一句话通常是：卖了吗？离校前夕，寝室里的姐妹或“高攀”或“下嫁”，反正都有“主儿”了，只有我一个人左冲右突，毫无战果。最后一次应聘，那个人事部经理直言不讳地对我说：“你的外语水平不错，性格也开朗，可是如果是你这副样子代表公司去谈业务，或者作为总经理的翻译出席各种谈判，怕让人觉得有些突兀。”这就是血淋淋的伤害，好像合情合理，实则凌厉如刀。走出那扇玻璃门时，我差点被一辆疾驰而过的出租车撞上，本来想追上去和他寻个你死我活或做个了断，转头一想，不行啊，我全身不少一个指甲盖儿，不缺一根神经，我妈怀足了月生下我好端端一个外语系的才女，我就这么耍赖算什么孝顺女儿啊？

大学里，有一个模样不错学习不错的男孩子想追我，他借一瓶二锅头的热量跑到女生宿舍楼下喊我的名字。我说：你脸红什么？怕我不出来？他说：不是，我其实是怕别人听见我喊你的名字。我大跌眼镜。果然，他陪我吃了若干次饭，看了若干次电影以后就自作主张结束了我的初恋。后来有人告诉我他在他的兄弟们面前说：苏珊绝对是一个开心的妹妹放心的老婆，可是现在我还不想找老婆，只想先找一个女朋友。我听了，心里大笑，看来长得丑的人，想上当受骗或练习练习爱情都不行，看来日后若有人追我撵我，八成是想把我娶回家去，都用不着我睁大慧眼去辨别他是真是假爱我几分，多省事。

凯西说：我很奇怪，你这样可爱的女孩子竟没有人追。如果在美国，你的男朋友都有一打儿了。我前俯后仰：凯西，我哪儿可爱？凯西眨着一双眸子说：“你连你自己的优点都不知道，真是遗憾。你聪明、幽默、善良、乐观、自信、善解人意——哦，太多了，我数不过来了。”“可是，如果可以选择，我宁愿乏味无比，也不愿走在街上影响市容。”我心里想。

好在，我还有工作和一大群“咿呀学语”的学生，我一个星期要上30多节课，是外语系课时最多也最疯狂的老师。我不愿走下讲台，讲台就像我的舞台，虽然我不美，但站在讲台上时，我是一个传播知识和智慧的人，我是一个精神富有的人。我连续上四节课还是一副意犹未尽的样子，让同事们大喊佩服。他们哪里知道，只有在讲台上才没有人能窥见我心底的自卑。有一次，我的学生用仰慕的眼光看着我：“老师，为什么你总是这样滔滔不绝，难道你就没有犯堵的时候吗?”我不假思索：“有啊，那就是一想到我的模样我就犯堵，恐怕这辈子没人愿意娶我了。”我绝没有想到，全班的男同学哗啦啦地站起来，异口同声说：“我们愿意娶你!”我拔脚就跑。

凯西很不满我一副嫁不出去的自卑模样：“忘记你的外表，修炼你的内心，你会是世界上最快乐富有的人。”不知道她是从哪本杂志上看来的句子，好像是专门对付我这种因外貌而自卑情怯的人。“每次我都觉得别人要挑剔我的相貌。”真是一朝被蛇咬，十年怕井绳。“为什么要在乎别人的评价，你是要活出你自己的个性和精彩，不是要活得没有缺点。”

凯西放弃在国内优越的工作独自一人跑到异国他乡，来体验一份属于她自己的独一无二的生活，凭的就是一种忘记一切的勇气吧?

学校校庆期间迎来了一位著名的美籍华人陈女士，我和院领导一同去接机，那天我精心收拾了一番，白衬衫、及膝的黑裙子、小巧的红色坤包，出门前还喷了凯西的法国香水。可是在候机厅贵宾室，我从周围看过来的目光知道，今天我的打扮又有某个地方出了不可原谅的错误，但是已经来不及收拾难堪的情绪了。陈女士被搀扶着从舷梯上下来了，省市领导谦恭地迎上去，媒体记者蜂拥上来，我也不示弱，灵活的身子穿过一群衣袂生香的绅士淑女，站在了陈女士的前面说：“I am English interpreter, I am Susen。”同时大大方方伸出了右手。陈女士微微笑着握住了我的手说：“Interpreter? oh good, very good。”坐在去宾馆的车里，我得意极了，今天和陈女士握手的人肯定不会超过十人，而我是其中之一——一个没有职务没有头衔脸上却有两块“雀斑农场”的女孩。她握着我的手说“very good!”

市里也派了一个专业翻译来，但是那天，尊贵的陈女士却当着省市领导和我的领导的面说：“让苏珊留下来吧，我看她不错!”我差点儿缺氧，因为幸福的感觉来得太突然。就在刚才，在宾馆门口，旅游局那个精明能干而漂亮的女局长对我的领导说：“你这个翻译，口语倒是不错，但是衣服穿得太奇怪了，要训练训练。”她是不忍说我形象太差啊。

接下来的几天，我几乎天天跟着那些名人，每到一处就给他们作现场翻译，陪他们吃饭、聊天儿，讲当地的风俗和奇闻轶事，我感觉到，我已经大大抢了那些大官的风头了。

陪完客人，深夜很晚回到家来，凯西还没睡，客厅的吊灯放着耀眼的光，我没提防凯西一看见我就从沙发上跳起来，拥抱我，说：“苏珊，今天你太漂亮太精彩了!”我想起那个女局长看我的眼光，沮丧地说：“有人说我衣服穿得好奇怪。”“NO，NO。”她说，“你今天自信而美丽，不信，你自己看。”我扭头一看，电视里正在播放今天的新闻，我站在陈女士和她的一群朋友旁边滔滔不绝地解说着呢。那个大胆自信，完全忘记了自己“雀斑农场”的人，是我吗？我几乎不敢相信。

开始有鲜花进驻我们的房间了，不再是送给美女凯西的，包裹着鲜艳玫瑰的玻璃纸里夹着漂亮的卡片：送给漂亮能干的苏珊。呵呵，我不动声色，也不慌张，无论人家想不想把我娶回家去，我且观察，我且惜售!

车车快乐

○西　西

一年前，我爸惦记上汽车了。我爸的理由可堂皇了，他说有了四个轮子，我们家的日子啊，就能快马加鞭奔小康了。我妈是个实在人，她想半天也闹不明白，这四个轮子和小康生活有什么必然的联系。不过她看着我爸说得那么严肃认真，还是决定暂时把这个抽象的问题放到一边。因为她有更实在的想法。

我们家住在城北，我爸的单位在城南，每天早晨，我爸就穿得体体面面的，然后跨上他那辆老掉了牙的二八大架，一路穿街走巷，穿越整个杭州城去上班。我爸笑说自己是整天在做“杭州一日游”。尤其是去年夏天的酷暑天气里，我爸在“杭州一日游”的过程中，两次中暑，要不是路人搭救得快，可能我爸这把老骨头早就牺牲了。毕竟是五十几的人了，这种长距离的穿越，从体力和精力上来说，都是残酷的考验。

于是，我妈头一回主动响应我爸的号召，当机立断，从车市拖回了一辆新款捷达。

有车的日子，果然不同凡响。我爸是最直接的受益者，方向盘在手，精神也足了，神气也旺了，竟连以前常有的磕磕碰碰小毛小病，也明显见少了。

可是过不多久，我们就发现了一个问题。原来，我爸骑着自行车做“杭州一日游”，只要四十分钟；而现在，我爸握上了方向盘了，花在路上的时间，却足足多出了两倍不止！每次我们等得脖子都长了，才看见我们家的车车慢条斯理地回来。

问题一经发现，答案立刻出来，是我爸自己招供的。原来，我爸自从开上了车，就充分发挥了他助人为乐的优良作风。每天下班，都招呼这个招呼那个“回家呢，我送你，顺路啊”。在我爸看来，许多不着边际的地方只要在杭州就都叫“顺路”，反正方向盘一打的问题嘛。于是，每天少则一两个，多则三四个，都点对点地给人家送到家门口，他才算光荣完成任务。临走的时候还不忘嘱咐一声：“有事要用车，尽管吭一声。”这话可真不是客气话。

渐渐地，人家也真“吭”了，还“吭”得越发多了。有时候大周末的，不是这个央着一起去跑装修建材市场，就是那个求着去接个三朋四友；还有几回，我爸索性被拖着一起去乡下某个同事的老家“考察考察”！我爸对于这样的事情，一概来者不拒，而且答应得乐颠颠的。看他老人家那么高兴，我们就更没什么话可说了，只是自己要出门的时候，还得一回回地扬个手打人家的的士。

只是好景不长，随着我爸单位里同事们的汽车普及率越来越高，我爸的车车就逐渐地处于冷清的状态，而且已经连续好几个周末了，我爸连同他的车车，都一起在家“待业”。我爸这脸上的快活啊，也日益地见少了。

于是，这几天我妈又在给我爸想辙呢，最可行也最有效的办法，大概就是给我爸做一纸牌牌，每天下了班往车窗上一插，“顺路的免费，顺路的免费”。大概只有这样，我爸才能再快乐起来。

搭上钻石王老五的车

〇大路朝天

我住的小区号称是“时尚生活样板”，里面也着实有几个漂亮人物，比如住在我楼上的那个帅哥。说人家是帅哥好像透着那么一点儿不严肃，实际的情形是一个相当时尚的“青”中年。他每天背一个硕大的LV公文袋，穿一身笔挺的观奇或者BOSS的西服在楼里出没。我是很没有自制力的物质女人，他这么华衣靓装地出现，很能满足我庸俗的小市民趣味。最关键的一点，我从来没有见过他身边有异性的影子，这就是了不得的美德，使得我对他的评价立刻从璞玉上升到了名钻，玉石王老五和钻石王老五在物质女人的心目中地位是很不一样的啊。

钻石王老五主动和我搭腔了，在电梯里。那是一个阴雨霏霏的清晨，电梯里没有其他人。他按了负一层的按钮，状似不经意地问我：“下雨了，怎么上班啊？”我一愣，随即答道：“出西门打个车好了。”

“雨天的士不好打呢。小姐好像是在地王大厦上班的？我在那里见过你。”

我的天我的天我的天！心里那头快乐的小鹿乐得没头苍蝇样地跌撞起来，这个帅哥他居然注意过了我，还知道我工作的地方。不过面子上仍旧是淡淡的：“哦，是吗？”

“我在发展银行大厦，就在你对面，要不，你搭我的车吧，顺路。”

心里的花儿呼啦啦地全开了。我高兴死了，我今天穿的是最漂亮的一套粉色的裙装；我高兴死了，我今天抹了一点绿茶味道的香水；我高兴死了，我昨晚睡了一个好觉，今儿早晨唇红齿白粉嫩嫩地招人爱；我高兴死了，我在刚过去的生日里对上帝祷告让我遇到一个钻石类的帅哥，上帝居然就听见了。不是那么宠我吧，我都快不能正确认识我自己了。

心里一高兴，嘴上就没了防线：“那好啊，又方便又环保。只是太谢谢你了。”必要的礼貌还是要的，要不怎么对得起人家的青睐呢。

帅哥就是帅哥，连品位都和人不一样，满世界的三厢车臭了街，帅哥的坐骑是雷诺啊。圆滚滚很狰狞的车头，圆滚滚很厚重的车身，关键是印第蓝很经典的颜色，再加上车里的这一对璧人似的俊男靓女……好了好了，不能再形容了，再形容别人就没法活了。

有点遗憾，一路无话。到了地王，我和帅哥相视一笑，几乎是异口同声：“谢谢。”下了车有点纳闷儿，他谢个什么劲啊。不过，虽然是一路无话，我还是顶受用的，至少说明人家在帅之外，还添一个酷字。聒噪来聒噪去的，那是没发育的小 P 孩。

反正那一天的工作时间里，我对每一个人都笑脸有加，连我那不开窍的扑克脸上司都察觉了点端倪，到处事儿妈样地和人打听：“Vivi 是不是撞桃花了呀?”

接下来的情形，真是心想事成啊，帅哥的车每天准点在西门外“恭候”我的芳驾。每每远远地看见我，就早早地欠身打开副驾驶座的门，害得我要在小区晨练的人们众目睽睽之下格外地步履娉婷一点。我心里暗暗地笑道：“看吧看吧，什么叫香车美女。”

上班的路上，帅哥照旧不发一言，只是偶尔在塞车的路段，会欠身在我的前面打开储物箱，问我：“喜欢听点什么音乐?”帅哥的音乐品位都和我如出一辙啊，全是 Enigma 一类的调调。这使得我越来越坚定了初时的想法：“真是天造地设啊。”不过除了上班路上的这点交情之外，帅哥好像迟迟迈不开步。不过也成，按我的分析，这样沉稳而克制的男人，也许在这个城市里已经绝种了。这便更鼓舞了我的士气，我都打算在包里多放一盒牛奶，在合适的时间表达一下一位勤劳的中国女人细腻而周到的关怀了。

一个月后，清晨，我刚在车里坐定，正在酝酿一个娇媚的笑脸给他，帅哥就递过来一沓油票：“喏，这里是这个月25%的油票，你只坐早晨的单程，所以只需要负担这四分之一就好了。谢谢，一共是108元，如果你有零钱，最好；没有的话，给我110块钱也成，下个月里扣好了。”听着这逻辑严密、言辞周到的一番话，我几乎当场变成了白痴儿童，脑子使劲使劲空转，转到快滑牙了，也没弄出个所以然来。敢情这个把月来，这厮是把我当成分担油费的乘客了呀。虽然这事在有车一族当中也听说过不少，但这么帅气的司机，这么帅气的车，明摆着有色诱的嫌疑嘛。我怎么就那么不开眼呢，我活该。我想我当时的表情一定是非常非常可笑的——挂了一半的笑脸，眉眼之间却全是懵懂无知状。那天连我自己也不知道怎么收的场，好像是给了钱了，好像也一样说了谢谢了，一切有如惯性，我是刹不住车了。

我实在是太桃花眼了，把那么正常的事情往暧昧里想，不怪谁。可我接下来怎么办呢，还坐不坐人家的顺风车啊。不坐了，透着我多小气，再说了，每天早晨看见帅哥也是一件很赏心悦目的好事啊。坐，为什么不坐！打的到地王每天得25元，一个月算下来，能省多少？说到钱的问题，我是前所未有地清醒。是啊，为什么不坐，桃花没了，实惠还在，这是抚慰我伤情的唯一良药了。

我决定，从明天开始，我要求他把车绕深南路兜一大圈，直接给我兜到解放路地王门前，我才不愿意再去爬那劳什子的过街天桥了呢；还有，我从明儿开始又要变回香水试用装了，我才不管他喜欢不喜欢，那车里的柠檬味道，就和我家洁厕剂一样，我可受够了；再有，明儿得跟他要一电话，这阵子下班有准点了，说不定可以搭上这顺风车，他不是爱做司机吗？这么算计着，我又自说自话地高兴起来了。

尴尬风流

〇王　蒙

眼　疾

老王因眼疾做了一个小手术，一连许多天，他戴着眼罩，不能看书报，不能看电视，不能用电脑。

于是他找出了废置多年的半导体收音机，装上四节电池，勉强扶正着因损坏已经立不起来的抽拉天线，调节着年久失修、难以顺利运转而且不断发出“沙沙”噪音的可变电容器，听起广播来。中央台、北京台、天津台、河北台、交通台、教育台、英语台、国际台、FM Easy、调频、中波、短波。

他想起了20世纪四五十年代，那个时候他在“话匣子”里听北京解放的新闻，听孙敬修讲故事，听曹宝禄唱单弦，听宝音德力格唱蒙古长调，听齐越播斯大林的讣告和夏青播反修檄文……

后来有了电视，有了电脑，有了音响，很少听“话匣子”了。

眼病可真好，它让我回到了童年。老王温馨地想。

眼疾（续）

许多年来，老王一直很忙。

甚至退休以后，老王的心劲好像还是绷着。细想起来倒也没有什么要紧事，只是早晨六时半要起床，七时半要早餐，八时半要看报，九时半要接电话，如果没有人给老王打电话，老王就会给旁人叫电话。十时半要上网，要拼命浏览，然后评论："全都是垃圾！"然后发现病毒，杀毒，查毒，给杀毒软件升级……然后谈论世界与国家大事，谈弱势群体、农民负担、城市交通拥堵、禽流感、伊拉克爆炸、哈马斯精神领袖、钓鱼岛主权、单边主义……然后辩论，献策，然后说一些全是空话、废话、说了等于没说的话。然后散步，然后晚餐。然后看新闻联播，然后朋友们孩子们来说谁谁发了财，谁谁买了房，谁谁双了规，谁谁遗体告别……

现在呢，干脆闭目养神，养伤口，谢绝了一切来访，谢绝了一切需要出门的应酬。乃至谢绝了一切话题。

而且遇到电话来，他会带几分得意地说："哦，对不起，我刚刚做了眼科手术，哦，我现在必须休息啦……"

他终于感到理直气壮了。

眼疾是一种特权，眼疾是上苍安排的休整，眼疾令你闭目思过，闭目养神，闭目养吾浩然之气。

有点眼病，可真好！

发　型

老王去理发，洗剪完毕，理发师给老王分头，把大部分头发梳到一面。

老王觉得不对，就说：“我的头发是往另一面分的。”

理发师说：“是这样，您的头后偏这一面处长着一个旋儿，在那里分比较好，否则您的旋儿上的头发，很难梳顺当。”老王觉得也有理，便同意改为向这边分。

老王觉得奇怪。他是从十岁开始理分头的。说来好笑，那一天他本来要跟着大同学一起去参加抗议国民党政府的游行示威，母亲坚决不让他去，一怒之下，他跑到理发馆，留了一个小分头，而且使用了发油，吹了风。此前，他一直是推平头，从这次尝到了不准革命的滋味，他才留下了油光光的小分头。

从那时到现在，整整六十年了，他的分头一直是往那边分的，怎么这次往这边分起来了呢？难道六十年来他的头发梳错了？难道端正方向真的这样艰难？

改为向另一边分后，他的头发能够显得顺当了吗？

他拿不准。

杜鹃花

快过春节了，客人们先后给老王送来了五盆杜鹃花。

头两年，老王家里的杜鹃花都长得很不好，别人家的花常开两三个月，而老王家的花，一个多星期过后，便枯萎凋谢了。

老王十分注意要把今年的杜鹃花养好，便到处请教养花的要领，探讨自己养花失败的原因。有人指出老王是水浇多了，有人指出是水少了。有人指出是没有施肥，有人指出是肥料太多。有人指出关键在于通风。有人指出，关键在于花盆，在于向阳，在于土团，在于品种等。

老王便对五盆花做了不同的处理，一盆多浇，一盆次之，一盆更次之，一盆少浇，一盆不浇。施肥、通风、日照……等也一律如此，老王决心摸索出养杜鹃的规律。

处理不同，命运并无两样，十天后，五盆花开始枯萎、凋谢。养杜鹃花仍然以失败而告终。

散　步

今春天气甚暖，老王下决心要到户外散散步。

偏偏来了一位亲戚。都21世纪了，家家都安装了不止一部电话机了，这位亲戚居然不懂得拜访什么人之前先通一个电话。中国啊，离现代化，远去了。

老王转了半天磨，突然，怒从心头起，恶向胆边生，扯一回谎，便说有约会，先走一步了。

亲戚不为所动，既然老王太太在家，亲戚不觉得老王走会有什么不便。

老王走在室外，却发现是大雾弥天，空气里有一股硫化物的气味，不宜散步。但他又不宜于回家了。于是反省自身：说谎者绝对没有好下场。

故　乡

客自老王的故乡来，老王已经有三十年没有回故乡了。

老王留故乡来客吃小馆，他打问故乡诸事：谈起故人，存者不到三分之一了。谈到故乡建筑，拆者超过了五分之四。河流已经改道，城墙遗址已经建成了桑拿浴池，王家祠堂早就改成了小学校。低产的小米——谷子已经不再种植，农民吃上了大米白面。

连乡音也变了，故乡来客拼命讲着普通话，不带轻声，也绝不儿化，有点港台外加新加坡味儿。

老王点点头。心想，整天喊改变面貌，现在终于改成了。

幸亏吃完小馆过马路时来客险些被一辆自行车撞上，喝了小酒的乡里骂了一句脏话，还有点故乡味道。

烤红薯

〇魏　鹏

如今，打工很时髦——干什么都叫打工。

刘媛媛也到省城打工去了。

说具体点，或者具体地说，刘媛媛是到省城里烤红薯去了。所谓烤红薯，就是在废旧的大油桶里贴上一些泥巴，做成个大炉子，再生起火，放入红薯，边烤边沿街叫卖。刘媛媛说，这是自己给自己打工。

刘媛媛在火炉下边安装了两个胶轮，用手推着，很轻，也很方便。备烤的红薯放在炉脚，烤熟了的就放在炉台上，正在烤的就放在炉内，不时地翻动，让火力均匀，让红薯香甜的味道渐浓渐远。

那些被红薯的香味诱惑了的城里人，就三三五五地围了过来，亲切地叫刘媛媛"老板"。"老板，来一个！""老板，来两个！"刘媛媛听了，脸上的笑容就如盛开的野花。

可是，管市容和卫生的却容不下这朵野花。他们说烤红薯影响市容，影响城市卫生。一些执法人员见到刘媛媛就要罚款。罚一次百儿八十元，相当于烤四五天红薯赚的钱。他们轮流上岗检查，有的查上午，有的查下午，有的查一三五，有的查二四六。刘媛媛想，偌大的城市，咋就没有烤红薯的立足之地？

刘媛媛把红薯车推进租住的小屋里，睡了一天一夜，终于想出个好主意：把自己当成红薯，让他们烤去！此话怎讲？就是检查来了就收摊儿，检查走了就出摊儿，见缝插针，像烤红薯一样，勤转勤翻，微火不断。刘媛媛读过书，学过历史，她还把自己的想法上升到理论高度，说这其实就是打持久战、运动战。

从此，刘媛媛打工不按钟点，只要没有检查，她随时都出摊儿。

有一天夜里，刘媛媛把红薯车推上大街，却不见一个行人。其时已是下半夜了，执法人员休息了，逛夜市的人们也都回家了。大街上，只有刘媛媛推着红薯车在缓缓地走，孤零零地走。

她走着，脸上挂着笑。虽然大街上不见一个人影，但她依旧大声地吆喝着："烤红薯喽！"声音比白天甜润得多，悠扬得多，远远地就能听到。

她来到一家商场的大门前，前后看了看，停下了脚步，接着又放声吆喝了两声。商场早已打烊，一位看门的小伙子探出头来，他看了刘媛媛一眼，说了句"神经病"，就把头缩了回去。

刘媛媛很开心。她用更大的力气吆喝起来，仿佛是和那个门卫打招呼似的。门卫把缩回的头又伸了出来，笑了笑，又缩了回去。他也许不记得了，就在前天傍晚，有一个管市容的执法队员抓到了刘媛媛，就在刘媛媛现在站着的地方，罚了刘媛媛占道经营款170元。

刘媛媛走过商场的门前，走过公园的大门，走过小区的偏门，走过白天不能推着红薯车走过的地方，头昂得高高的，仿佛打了胜仗似的。当她凯旋般回到自己租住的小屋时，已经黎明了，爱好晨练的老人们已经开始运动了。

刘媛媛兴奋地放稳红薯车，又吃了一个烤红薯，才脱衣上床。不久，就进入了梦乡。她是该好好地睡上一觉了。只是她那沉睡的样子，像个烤焦了的红薯，散发着一种煳味。

快乐土二狼

○苏　北

土二狼是个有意思的人。

土二狼戴着一副眼镜，他的个子有点高，腰有点弯，走路步子跨得大。他瘦瘦的脸仿佛载不动眼镜，眼镜时刻要掉的样子。

土二狼原先在市里一家纺织厂工会搞宣传，是个什么干事。其主要任务是为厂里编编简报，为墙报栏画画插图。近年来厂里效益不好，因此土二狼也就没有多少事可做，班也不必每天去上。他便在家写点文艺稿，投给当地小报，挣点稿费养家糊口。

说土二狼有意思，主要是他和别人不大一样，他关心的事与他的生活多数是无关的，有的相去甚远。他的老婆孩子都以为怪，说他“神经病”。

他是有点神经病。比如过马路，城市的车子在斑马线上根本不让行人，土二狼为此非常生气。有一次下雨，在三孝口，明明土二狼已经走过一半，有一辆出租车远远冲过来，土二狼一时性起，一下把伞扔了出去，把那出租车司机吓了一跳，一个紧急刹车。土二狼用手指着驾驶员说，这是斑马线，你抢什么抢？驾驶员火了，下车就冲向土二狼。土二狼打架是不行的，好汉不吃眼前亏。土二狼边跑边说，你想干什么你想干什么！一溜烟儿没了。可是土二狼很气愤，于是他有时过马路，就假装瘸子走路，幅度还挺大，一拐一拐过去了。你还别说，这一招儿挺灵，车子远远见到，就放慢了速度。土二狼从容拐过，嘿！

土二狼对自己生活的城市非常不满意，认为不像一座省会城市，顶多是一个地级市水平。他感到自己生活在这样的城市很没有面子，外地有朋友到他生活的城市来，说他的城市不好，土二狼觉得比骂自己还要难受。因此，他希望自己的城市能快快地发展起来。他经常星期天骑上自行车在城市的东南西北游走。哪个地方准备建一幢高楼，哪个地方正在拓宽马路，哪个地方要建一个广场或会议中心，在这座城市，估计除建设单位，没有哪个人比土二狼知道得更早了。

前两年市里改造黄山路，那么热的夏天，土二狼每天都到工地去“考察”。别人问他：“溜达哪?”他说：“不，考察一下。”他关心每天的工程进度，欣喜于每一点儿变化。他还经常询问工人们工程情况，和工人们聊聊天儿，有时“神经”起来，他还逐个儿同工人们握握手，说：“同志们，辛苦了!”工人们感到他比较“神经”，挺有意思，便说：“首长辛苦了!”土二狼本来还想讲：“工人们晒黑了!”那工人们一定会回答：“首长更黑。”可惜土二狼并没有讲。

今年春天，他发动全家在星期天到街头、公园、广场去捡垃圾，一人一顶小黄帽，一人一件小马甲。小马甲上还写了“你不要的，请给我”。有不存好心的人讥笑土二狼，拿他寻开心，说：“把你的口袋撑开，我要吐痰!”土二狼不理不睬，只管干自己的。到第三回，一家晚报报道了土二狼一家的事迹，电视台也用镜头记录了他们一家捡垃圾的场面，引起了轰动。电视上土二狼咧着大嘴说：“我们这样做无非两条，一是培养孩子热爱劳动；二是培养孩子热爱集体。具体到捡垃圾这事，一是增强孩子的环保意识；二是培养孩子的社会公益心。”说话的时候，土二狼手里还提着一个装垃圾的袋子，那孩子脸上笑得像天空一样灿烂，手里还抓着一只夹垃圾的夹子。孩子的母亲手搭在孩子肩上，样子很可爱。

老妈进城

〇余同友

我和妻子有个公费外出旅游的机会，可家中没人照看，便决定把老妈接来。老妈是个乡村小学教师，虽说在当地也算个文化人了，可毕竟一辈子都生活在宁静的乡下，不知道城里有多少风浪，因此，将她接到家时，我和老婆一再对她灌输应对策略。比如，你在街道上见到有人丢下一条项链、一个钱包，你千万不要捡，一捡可就麻烦了；还有那些给你免费看病的、赠送礼品的等等，一概别沾，总之，江湖险恶，安全第一。

我们如是说了一大通，就差没编成顺口溜儿“过马路左右看”了，可老妈毫不领情，她说，你老妈我好歹也活了六十多年了，你们放心玩儿去吧，没事的。就这样，我和老婆一道坐上车走了，可心里老放不下。晚上，一到旅馆我就拨通了家里的电话，老妈哈哈大笑说，瞧你们说的那么可怕，老妈的办法太多了。然后，老妈把她一天的“遇险”情况告诉了我们——

上午，老妈上街买菜时，果真有一个人将一个手机包掉在老妈的脚下，老妈捡了起来，这时另一个人走过来，对老妈说，老太太你发财了。还没等那人再说什么，老妈说，接下来你要和我对半分了吧。老妈说着，向菜市场保安室走去，那人说你干什么？老妈说毛主席教导我们捡到东西要交公。那人急了，一把夺过手机包仓皇而逃。

下午，老妈在公园里散步，一个小伙子拉住她的衣服，说他是一个大学生，家里失火了，没钱上学，请老人家行行好。老妈说，那好，我资助你二百块钱，不过，我出一道高中的代数题，你做出来了才证明你是真的大学生。老妈说着就蹲下来在地上写题，没等她写完，那小伙子早就没了踪影。

傍晚，老妈正在烧饭，门铃响了，一个人拿着两把菜刀，在门口叫着，免费送刀，厂家做广告。老妈把门开了，那人把两把刀碰撞得当当响，说免费免费。说着就要进屋。老妈说，真的免费呀。说着接过刀子，在那人面前一比画，那人不由自主退后一步，老妈乘势“咣”的一声把门关上，然后对着门外喊，谢谢你的赠送，刀我收了，人你走吧。那人傻了，在门外带着哭腔说，大娘，你行行好，把刀给我吧。

老妈说完了，我不禁笑了起来。我说，老妈，你真是个阿庆嫂，你这个老太太不寻常啊。

泪　雪

〇林　旭

草地，铺满了洁白柔软的雪，好像是披着一层薄纱似的。几簇红柳在那里摇曳，点缀雪野的寂寞。母亲和女儿，默默地行走在雪地上，脚下发出咯吱咯吱的声音，宁静而悠远。

女儿挽着母亲的臂弯，头轻靠着母亲的肩，盯着一只鸟儿在雪地上腾挪、觅食。小脚丫留在雪地里的“个”的样子，纤巧而精细，像是印象派大师笔下的图画。

母亲的头略略偏右仰着，嘴唇轻轻地动着，数着草地尽头的雪山。山脊先是如白色的大斗篷，然后逐渐隆起，一座又一座，一直在天边哨兵般地昂然屹立。

一个男声在母亲耳边回响：“回去吧，雪大，我会很快回来的……”

她紧紧抓住他的警服的衣襟，咬着牙，努力不让泪水流出来。她环着他的脖子，问他可不可以不走。他说怎么可能，我是刑警！他拭去她眼角溢出的泪水，让她好好回到热被窝里去。

他说，做刑警的妻子，等待是第一课。

她问他，这第一课，好久才学得会?

他说，这要看那两个家伙能跑多远。嗯，这次有点儿悬，十天半月吧。

他把她往门里推，乖，回去吧，好好给我躺着，无论出了什么事，你都要等着我，我一定会回来的！

夜幕，还没有来得及退去，他，却回来了，身上扑满雪花……

女儿从鸟儿的小脚丫上收回目光，侧过头来，注视着母亲，见一丝笑意在母亲脸上荡漾，脸颊轻轻碰了碰母亲的肩，柔声问："妈，你笑了？想起啥了？"

母亲从沉思中回过神来，笑了笑："没，没想啥。"

"你的微笑真好看！"女儿嫣然。然后，母亲数雪山，一座，两座，山外又有山。女儿看小鸟觅食，一"个"又一"个"。

那是个雪天，父亲从学校接回女儿。

"爸爸，你看，他们玩得多高兴！"她嚷道。真的，一群孩子追逐嬉闹，在雪地里堆雪人、掷雪球，搅起一派欢乐的声浪。

"我们也玩。"女儿丢下书包，弯腰去抓雪。

"别玩了，爸爸很忙。"爸爸捡起书包，声音充满疲惫。

"不，我要玩。你总是忙，总是忙，我要堆雪人！"她那天特别固执。爸爸冒火了，一掌打掉她抱在怀中的雪团，拉起她就走。

她一路上呜呜哭，一直哭到家，扑进妈妈的怀里。

不知过了多久，有个声音向她呼唤："宝贝儿，醒醒，醒醒。"

爸爸正蹲在她的小床前。那一刻，爸爸的目光像秋夜的月亮。爸爸让她看屋子中央，那里堆着个很大很大的雪人，雪白，雪白，脖子上戴着她的红领巾，鲜红，鲜红……

母亲不知数了多少座雪山，见女儿脸上浮着一片明媚，如雪后润朗的晴空。肩轻轻地碰了碰女儿的脸，问她："你在笑什么？"

"我笑，笑那年堆雪人。"

"是吗？爸爸常在雪夜里出去，回来就是一个雪人了！"

母亲和女儿相视，各自从对方的眼里，看到两颗晶莹的水点，像是荷叶上的露珠，倏地消融在一片湿漉之中。

民工看病

○曾　颖

民工赵大的肚子痛三天了。睡在工棚里，他恨得牙痒痒的：不就是吃了几个冷馒头喝了几口自来水吗？咋就翻江倒海没完没了的了！

赵大暗暗骂着自己的肚子，想着因为肚子作怪而被扣去的工钱，心里隐隐地痛了起来。拖了三天疼痛都没消失，他知道自己确实病了。他决定找点药来吃，他知道邻床的福娃子箱里应该有药。福娃子每次从家乡来的时候都会到镇医院开些各式各样的药，因为他姨父是医院院长，医生们都认识他，都给他开又便宜又管用的药，针对未来一年中有可能发生在他身上的各种病，一种病一包药，分门别类装在各种塑料袋里，并且在袋口上写上“感冒”、“消炎”、“镇痛”、“外伤”、“痔疮”等字样。福娃子说，出门在外，背着这些东西心里踏实些。

赵大找到福娃子，福娃子一看他一脸虚汗，自然知道他的来意。如果换别人，福娃子肯定不会理，因为他觉得自己根本没有能力助人为乐。但赵大与他是同乡，这种关系非同一般，福娃子于是抽出藤条箱，在箱里一通翻，翻了半天，他不无遗憾地发现，装“镇痛”药的口袋早就空了，那玩意儿似乎是工地上最受欢迎的药，每一回都最先用完。

福娃子很遗憾地对赵大说：你咋不生痔疮呢，这药我倒还有一些。

赵大也很遗憾自己没生痔疮。他又转悠到比他年纪大的老丁身边。老丁以前在乡下当过几天民办教师，算有点见识，他曾经用锅墨帮人治喉痛也用壁虎酒为人治过红疮。

老丁对赵大说：肚子痛，我们乡下有个土方，就是用玉米棒子烧成灰，对水喝。

赵大说：这地方哪里找玉米棒子哟？

老丁说：还有一个方儿，你到石灰池旁舀一点儿清石灰喝下去，镇痛也有效。

赵大想了想，觉得有点儿玄，不敢试。于是决定出门到民工街去看看。

民工街原不叫民工街，因为周围工地的民工爱来这里看录像喝酒，于是便成了民工街。这街上有两家小诊所，面向民工服务，收费也不贵。

赵大来到第一家诊所，发现门脸儿已拆了一半，旁边卖甘蔗的女人说，这里已经拆迁了，买药你到前面老江湖的店里去吧。

他到老江湖店里，老江湖正因为有关部门要求他把诊所扩大一倍而生气呢！因为有关部门说他的门面太小达不到文件上规定的标准，限期要他整改。他正打算将旁边的杂货店盘下来，搞成性病诊所，只有这样才扛得住成本。赵大进店时，他正因为和杂货店老板谈判失败而生着气呢，也没把赵大当回事，随意甩出两包药，开价四十元。这可是赵大一个星期的工钱，吓得赵大落荒而逃。

赵大拖着疲倦的身子走着。在河边公园里，草丛里谈恋爱的小情人们嗡嗡嗡的情话让他直犯困。他决定睡一会儿。

在梦中，他听到救护车的尖叫和人来人往的杂声，他想起来看热闹，但怎么努力都睁不开眼。

等他睁开眼时，发现自己躺在一间白色病房里，邻床的人对他说：你可真能睡，一睡就是三天。

护士告诉他说他得的是急性肠炎，不大的病，但拖得险些要了命。她说医药费用了2000多块钱，快让家人来结账。

赵大觉得自己的肚子不痛了，但头却痛得厉害。他想说自己没钱，又不敢。他想说自己没打算医，是医院强给自己医的，但又确实说不出口。

他呆呆地坐了半天，决定逃出医院。他知道，只有这样，自己今年的工才不至于白打。

他轻轻扯下吊针，偷偷溜出病房，悄悄地从门诊大厅穿过，出了医院大门。在医院大门口，他心里过意不去，就冲门诊大楼用力地鞠了个躬。

第二天报纸电视台纷纷曝出新闻：又一个被抢救的民工逃出医院，社会呼唤道德良知。

看电视的赵大把头埋得很低，从这一刻起他在心中暗暗发誓：这辈子再也不吃冷馒头，再也不生病了!

请客未遂的民工

○曾　颖

那个中年民工在办公室门口徘徊了半天，终于鼓足勇气走到我的面前，黑黑的皮肤居然遮不住他脸上红红的羞怯。以他这副装束，要从保安威严的审视下通过，并努力使自己腿不打奔地走到我的办公桌前，他的确费了不少力气。

可能是因为费了太大的力气，以至于他说出一句话也很困难，在憋了半天之后，他毕恭毕敬地向我鞠了一躬，其力度和深度颇有点像是在最值得尊敬的长辈的灵堂上的三鞠躬。

无端受此大礼，哪有不惊不诧的，何况此时同事们的眼神也使我不敢不惊不诧了。于是，我放下手中的工作，仔细端详这一张似曾相识的脸，在记忆中搜索与他相关的信息。

这是一张再普通不过的外来民工的脸。阳光和生计在他的脸上留下了太多的痕迹。看得出来，对于今天到报社来的这个举动，他是做了充分的努力和准备的。他身上那套并不太整齐的廉价西装暴露了他在来这儿之前局促而紧张的打扮。

老实说，我实在想不出他究竟是谁，我们在哪里见过？他为什么对我行此大礼？这些问题点燃了我的好奇心，使我决定问他是怎么回事。在此后的半个小时里，我从他不太灵巧的叙述中，连推测带启发地知道了他此举的原因。

原来，在不久前，我们组织过一次为民工追讨工钱的行动。在那次活动中，有很多被拖欠工钱没法回家过年的民工都拿到了工钱，他也是其中的一位。他在成都一家小饭馆里被拖了一年的工钱终于讨了回来，虽然是不多的一千多块钱，但是，足以把他即将垮掉的房子和散掉的家重新修补一下，还可以把他已失学的儿子重新送回学校，这使他万分感激。他发自内心地想感谢那位帮过他的记者，他只记得那个记者长得胖胖的，却并不知道记者所在的部门以及他的姓名。所以，一进办公室，选个最胖的人就开始鞠躬，而作为办公室唯一的胖子的我不得不代人领功，愧受这一份大礼。

那中年男人鞠完躬之后，并不打算马上就走，而是在办公室东张西望，像是在找什么东西，一面找，一面悻悻地说："你们这里怎么没有厨房？你们平常吃饭怎么办?"

这时，我才注意到，他脚旁一直放着个菜篮子，菜篮子里放着一块肉，一把蒜苗和几个鸡蛋。他有些不好意思地说："我想请你吃顿饭，又请不起，就只好把家里最好的东西带来，炒给你们吃，请你千万别嫌弃。"

他脸上一脸让人心酸的诚恳。看着他因为炒菜计划不能实施的紧迫样子，我打心里替他难过。

同事们笑得前仰后合。他们说这个民工好喜剧，居然不知道我们新装修的办公室不准带吃的进来。

后来，保安来了，一面自我检讨自己刚才去厕所，将这个人放了进来，一面把民工带了出去。那个没炒成菜的汉子很不情愿地走了，一面走，一面很不理解地摇头叹惜："报社怎么会没有厨房呢?"

此后的几天，那个想炒菜的中年民工的形象一直在我眼前闪动。我那位曾经帮助过他的同事，也许只是凭着自己的良心，做了一件分内的事，而且他也很可能和大家一样，听到本报这个"民工炒菜"的笑话，和大家一样哈哈大笑。而我在心里，却还是对他有一种莫名的敬意，尽管我直到最后也不知道他是谁。

让班长给我沏杯好茶

○西街淡漠人

李班长领着维修班的人去干活儿了，黄三却正在不紧不慢地往茶杯里倒开水，李班长临出门回头冲他说：你哪里像个维修工，手上再拿张报纸简直就是处级干部的派头！黄三冲李班长的背影回道：处级算个屁，市长我也干得了。

黄三就是这德行，是个有名的刺儿头，最爱给领导挑毛病，而且只要抓到领导的短处就没完没了地闹，给他当领导的人都得对他另眼看待，干多干少、晚来早走也不跟他太计较。

他把水倒进杯子，很沉住气地看茶叶被泡得渐渐舒展开，那情景像观赏昙花一现似的。这是他浙江的战友给他捎来的好茶，说是地道的龙井，得好好地品。他专注地看着茶叶变成青绿的芽沉到杯底，才以闲庭信步的节奏，拎着茶杯，光着膀子，搭着毛巾，挺着肚子，迈着八字步到检修点去。整个过程需要二十分钟，这二十分钟李班长正按黄三希望的那样分派工作，最后留点儿零星活儿让黄三干。

这天是星期天，加班的任务是清理梳棉的风筒，车间里湿度很大，时间久了风筒里会有好多黏着物，会影响产品质量。因为是星期天，整个厂区静下来，也只有这时候风筒才能停止它沉重的喘息，接受短暂的静养。它张开大口似乎是急切地等待修理工们为它清理污浊的肠胃，清理过后，风筒就如同一行美妙的句子，让梳棉机读起来更通顺。

这活儿干起来很辛苦，李班长没打算让黄三来凑人数的，他不来还好，工作好安排；他一来有人就对分工有意见。李班长还得给人家做工作：厂里有几个黄三？领导见他都憷头，我能搂过他的腰来？谁能调理了他谁来当班长。

提意见的人就蔫了，心有不甘地说：还是黄三行啊，牌子硬啊！

黄三来加班是为了双薪，而且这种突击抢修，中午要管饭的。

他到维修现场的时候，李班长已经带人钻进风筒。入口处有一块派工用的黑板，上面有李班长潦草的字迹，说别人都进风筒了，让他把风道口清理一下。黄三用铁刷子敲了敲风筒，“当当当”的声响就顺着风筒传过去了，他是示意李班长他已经开始干活儿了。

黄三只钻进半个身子，就觉得里面的热气像澡堂里蒸出来的一样，还有一种怪怪的味道，闷得心里有点发慌。他后悔今天不该为了双薪遭这份罪。他踹了管壁两脚，骂道：犯病你也不分时候，老子这么热的天还得伺候你。他爬到弯口处东一下西一下地刷着，突然觉得情况有些异常，太静了，只有自己刷管子的声音，往日加班时那些荤话、那些粗鲁的叫骂哪里去了？是不是李班长他们并没有进风筒故意耍他？他马上就否定了这种推断，李班长敢耍别人却不敢耍他。他用力敲打管壁，还是没有响应的回声，刚才他就闻到风筒里的味道有点怪怪的，一种不祥的预感让他的心一下子收紧了。他急忙溜出风筒，把那杯还没喝的茶水浸到毛巾上，用毛巾掩住口鼻，噌的一下钻进风筒。

他摸到第一个工友，工友躺在那儿，身体软软的，只有很微弱的呼吸了。最后一个从风筒里拖出来的是李班长，李班长是第一个进风筒的。维修班一共九个人，他们八个都进了风筒。等黄三把这八个“金刚”都拖到靠风口的地方，自己也就虚脱了。别人很快恢复过来，他却昏睡了两天两夜。

厂里的宣传干事想把黄三救人的事好好宣传一番，黄三却直摇头，说：也就是我拖拖拉拉晚去了二十分钟，要不然我也进去了。大伙儿问他有啥要求，他说：就让李班长给我沏杯好茶吧。

十一个雀斑

○刘　妍

她和他相识在网上的一个文学论坛里。当时她的名字叫“掉进村上的陷阱”，胡乱地写了一些关于村上春树小说的感想，引来不少的争论。他的跟帖尖锐而准确，她回了帖子给他，留下了 E－mail 地址。

很快她收到了他的信。从此两个信箱变成了最亲密的伙伴，任无数带着呼吸和指纹的文字在其间欢快地跳动。

从一开始他们就知道两人在同一座城市，但谁也没有说要见面。淋着一片天空的雨，穿过同一个红绿灯，他们只保持着网络世界里的靠近和同行。

很多最初的相遇，都像一粒不经意抛下的种子，不知不觉间开始生根，发芽，开花。

有些感觉，由不得控制；有些话语，由不得留存。他说，让我看看你的样子。

她说，别忘了网络无美女。

我没有期望，所以不会失望。有如此内涵的女人，不美也美。他说。

她迟疑一下，将照片发过去。

其实她是美丽的女人，令人倾倒。

当然他也不能免俗。容貌和头脑兼备的女人，是上天的垂青。

他更频繁地给她写信，多了一些温柔甜蜜的话。两个信箱之间，已经没有距离。

渐渐地，她开始相信，他是真的喜欢她，就如同她喜欢他一样。

然后终于有一天，两人同时说，见面吧。

见面的前一天，她兑现了很久以来对自己的承诺：去医院激光美容中心去除鼻子两侧那些淡淡的小雀斑。

他们在一个靠窗的座位相对而坐。他和她想像中一样，俊朗挺拔。

她迎着阳光，灿烂地笑，鼻子两侧散落着明显而刺目的黑色斑点，像马戏团里的小丑。

医生说，第二天是最难看的，颜色会很深。

她说我知道，所以我今天来。

当她碰到了自己真正喜欢的人，她希望张扬她的瑕疵。这是个莫名其妙的偏激想法，但是她坚持。

他坐在她的对面，拘谨而牵强，不停地喝着冰咖啡。

你——

照片是用电脑处理过的。她笑。那些丑陋的斑点在笑容中左蹦右跳。

哦，是这样。

他们都不像在网络里那么健谈，像两个方方正正呆头呆脑的信箱。终于，他们走出了咖啡厅的大门，礼貌地说再见，然后一个向东，一个向西。

她没有再收到他的信，新千年之初的一段隐隐约约的爱情，开始于网络，结束于十一个不复存在的雀斑。

想请太太喝咖啡

〇张小失

太太，一杯牙买加极品蓝山和一杯爱尔兰咖啡的本质差别不在于味道，而在于价钱；甚至不在于价钱，而在于它们出自哪家咖啡馆。这是我一直想告诉你的事实。因为你一直渴望坐在正宗咖啡馆里品味一杯有名有姓的咖啡。你说，那里面的灯光、音响仿佛充满了安宁和浪漫。

但那天我透露极品蓝山大约一百元一杯时，你愤怒了，后来的话我也就咽下了。你的渴望总是受到价格的打击。你会说：这样一笔钱，如果用来干什么、干什么就会怎样、怎样……你从来都是叶公好龙。事实上，既然有人拼死吃河豚，为何我们不能扒开钱包喝咖啡呢？

咖啡的昂贵不在于它本身有多少营养价值，而在于咖啡馆。超市里面的袋装速溶咖啡之所以便宜，是因为超市没有档次。咖啡馆面向有钱有品位的人。因此，进咖啡馆的人，不是为了买一杯咖啡，而是为了买一杯档次和心情。

昨天晚上，我进去了。在没有征得你同意的情况下，这类似于违法行为。好在我们相隔20公里，你看不见，管不着，我也就很坦然。侍应生热情地为我拉开门，我看见里面好多绿树红花，像一片小树林；音乐轻柔，在空气中漂浮；沙发宽大而松软，我坐上去，它像女人一样拥抱着我；然后我点燃一支七星……那位年轻漂亮的女孩来到了我身边时，我居然没有察觉。一切都这么静悄悄的。她递给我“菜单”，我浏览一遍，点了最昂贵的牙买加极品蓝山，外加一份芝士简餐。我想，今天我豁出去了，反正我不指望你十年内会陪我进咖啡馆体验生活了。

咖啡馆中像我这样的单身男人，只有我一个。如果带一位女士的话，将会有不同的气氛。我拆开配送的小调料包，将它们全部倒进杯子里，然后用小勺轻搅。暗淡的灯光下，我弄不清咖啡的真实颜色，只知道它闻起来的确很香，但入口就不同了，有中药味。如果这是一杯茶的话，我一口就能干了；但它是牙买加极品蓝山，我就不能那样对待它。对待尊贵的饮料，应该心平气和，礼貌有加。品掉半杯时，芝士送来了。其实就是几片面包夹上生菜和肉。因为它属于西餐，就得用刀叉。我先背诵一下“左刀右叉”，然后拿起工具吃它。它不好吃，但因为它是这个环境的产物，所以我提醒自己，它肯定是好吃的，只是我本人缺乏磨炼，够不上档次罢了。

就那么浑浑噩噩地度过一节课时间，咖啡杯终于见底。我决定离开。当时大约零点了，而咖啡馆里还有不少人。出门走了三百米，我看见大楼工地上有几个民工正在吃夜宵——面条——那个香啊！

……太太，我很想请你喝咖啡。因为我还记得，当初我们结婚时，连速溶咖啡也舍不得买。那时，我们很穷，但是，我们不懂得忧愁。我们漫步在城市的大街上，看着花花绿绿的世界，心中满是惊奇和喜悦，只知道羡慕别人的生活，却忘了自卑。

那时的我们，好单纯，好坦荡啊！

笑而不答

〇王　蒙

黄昏恋

老王的邻居老李丧偶，过了两年，说是他黄昏恋上了。

他要结婚了，把房间里所有的旧物全部淘汰，拉走了五车。房间全新内装修，从顶棚到地板，从卧具、厨具到厕具，从沙发到吊灯、台灯，从牙刷到拖鞋，从卫生纸到杀虫药水……全部换新。

由于装修吵人，邻居们议论，这么大岁数了，还折腾什么！

还有人上升到理论，指出：在没有外敌、内敌和假想敌折腾人的时候，人一定要自己折腾自己。

后来老李结了婚。

结婚一个月以后，老李因心脏病发作住进了医院，原先嫌他装修吵人的人们评论道："作（读阴平）吧，作死呢！"

后来老李出了院。后来听到他的新房里传出来他与新夫人吵架的声音。

还是那些人，评论说："自找，自找那个不素净！"

又过了一年，老李去世，享年七十三岁。

那些人议论说："都是他的黄昏恋催的，要不然，他至少应该活八十四岁。”

只有老王的儿子说：“离世以前还黄昏恋了一回，李伯伯死而无憾啦。”

儿子评论那些对老李的黄昏恋说三道四的人说：“他们是馋的。”

药 片

老王的太太患了过敏性咽炎，住了三天院，经过了各种先进仪器与方法的检查，证明无器质性病变，无感染炎症，只是神经末梢的敏感所致。

老王太太深为咽炎所苦。老王想了一个办法，找了一瓶维生素D加钙片，撕掉瓶签，假说是医科大学新发明的治疗咽炎特效药，让太太每天吃三片。

太太觉得蹊跷，为了咽炎的事她问遍了所有的医药界的老同学老朋友，哪儿听说过这种药品？再一琢磨，显然是老王的那点儿小伎俩：反正是有益无损的药片，与咽炎不咽炎压根儿不沾边。

太太遂每天往抽水马桶里抛掷三片药，说是吃了。

老王发现太太神色有异，但想到并无治疗良方，遂硬着头皮每天夸奖药片有神效，太太的咽炎大有起色。

太太觉得可笑至极。

但听到老王信誓旦旦地肯定太太的身体一天好似一天，太太觉得仍然很好听，很受用。

药片抛扔完了，老王夸奖的词语也用尽了，一天王太太忽然觉得自己的咽炎确有好转了。她后悔，管他什么药片呢，服用下去，反正有好处。

扔了那么多药片，多浪费呀。

一年后，两人都明说了，哈哈大笑，王太太的笑声清脆响亮，证明绝无咽炎。同时老王说明，维生素D加钙片可以再跟领导要几瓶，帮助领导吃维生素，正是避免浪费。

套 话

老王家附近开了一家大超市，每次一进门就有侍立的礼仪小姐说："欢迎光临。"缴费时，出纳小姐又说："多谢惠顾。"离店时，还有人说："欢迎下次再来。"始则受用，老王想，市场经济发展起来真是不一样，服务态度改善了，文明程度也提高了。

老听这几句话，听得耳朵起了茧子，老王厌烦了，心想："唆什么？纯粹形式主义！白费唾沫星子。"

再后来，连厌烦的感觉也没有了，听到了如同没有听到。

一次偶然缴费时出纳没有说"多谢惠顾"，离店时也没有听到"欢迎下次再来"，老王觉得很失落。"为什么他们不欢迎我也不感谢我了呢？"

他想不通。

不 见

在老王居住的那个小区，有一群活泼的儿童，他常常在读书的时候被孩子们的喊叫、笑闹声所打动，他推开窗子，看着踢小足球、跳绳、踢毽子或只是相互打打闹闹的孩子，感觉到在自己日益老迈的同时，那么多可爱的孩子成长起来，真是令人欣慰又令人唏嘘。就是这样的，一些人老了，去了，一些人来了，大了，然后，大了的人又老了，新的人又来了。

不知不觉之中，那一批孩子不见了，老王觉得奇怪，莫非他们突然一下子都搬走了？

后来老王才知道，没有哪个孩子搬走，他们已经长大了，有的长到了一米八九了，有的打扮得花枝招展了，即使老王与他们或她们面对面，老王也想不起他们就是在楼下玩耍笑闹的孩子们了。

修鞋的女人

○吴富明

离我家不远处，有一群修鞋人。

女人坐在中间位置。她头不时地抬起，看路过的客人。而手却很熟练地为顾客打钉。

女人半年前从外省来到这个城市。女人起初很腼腆。她总是怯怯地问路过的人先生或小姐要钉鞋吗？客人大都没好气地说，不用！她的表情就很无奈地显了出来。

女人依旧不停地这么招呼客人。不过，她比先前更有了信心。

那天，有个老太太拿了双很破的鞋，走了几个摊位都没人肯补。师傅们说，这哪能补，现在买一双鞋很便宜，你扔了得了。老太太没说什么，只是叹了口气。

女人看在眼里，她说，大娘，你拿过来吧。

老太太看着女人那认真样，脸上如刀刻的沧桑就荡开了。

谢谢你！老太太说，你是个好人，你会有好生意的。

女人一笑说，我是修鞋的，拒绝你，不等于拒绝我的生活吗？

老太太说，你真会说话，读过不少书吧？

女人抬头看了老太太一眼。这是女人第一次听到客人这样问她。她的脸竟红了，她说，不多，才高中。

鞋修好后，女人说，你看看还有什么不中意的，我再给修修。

多好的手艺。老太太很激动，抽出一张50元的纸币说，不用找了。

女人把手掌一伸，笑笑说，5元就够了。

看着老太太离去，女人那天的心情特好。她想，自己所做的事竟会让一个人如此激动，这不正是自己希望的生活吗？

这以后，女人发现自己摊儿前的客人多了。

平静的日子和着平静的心情，女人渐渐在这个城市立了足。

女人在收获心情的时候，也收获了自己的爱情。

那个男人，是个三轮车夫。女人是在坐车时认识他的。

男人招呼她的时候，女人发现了他脚上的鞋子很眼熟。

女人说，师傅，你踩三轮车多久啦？

男人说，好多年了。唉，没法子，为了生活。

女人说，看你的鞋，就知道你整天奔波。

男人说，你说对了，这鞋不要看它旧，可补得很好，我也舍不得丢，那可是一位老太太的心意。男人说这话时，竟像小孩似的笑了起来。

能说说吗？女人来了兴致。

有次，有个老太太家失火，我正好路过，我冲进去救火。鞋子给烧破了。那天，我就把鞋扔了，赤脚走回了家。男人说，这不就常事儿嘛，应该做的。可没想到，老太太到处找我，非要感谢我，还带来了这双鞋……

听到这些，女人在心里笑了，多好的男人啊！

女人说，你的鞋就是我补的。

男人愣了愣，看了女人一眼，没再说话，很兴奋地踩起车就走。女人坐在车里，眼睛直盯着男人的背。

就这样，女人与男人成了朋友。

多年以后，女人问男人：你当初咋把车踩得那样起劲？

男人说，老太太常讲你为她修鞋的故事。我想，朴实的女人总讲朴实的话。何况，如今有哪一个未嫁女人会在一个陌生男人面前说自己是修鞋的呢。

女人说，要是贫穷能修好，我会一辈子做下去的。

一个都不能少

○王连明

有一个女孩，三天没来上学。我翻过两道山，去家访。女孩的家在山半腰，掩在一片树林里。房前屋后，有几树粉白，几树嫣红。女孩没在家。女孩的父亲站在院子里的一棵望春树下，说："我没钱供孩子上学。女孩子，认几个字就行，用不着读那么多书。孩子上不成学了，她去外地打工了。"

女孩辍学了。女孩去长江边上的一个城市当保姆，给人带孩子。她才12岁，自己还小，却要替别人照看孩子。我心里有些不是滋味。女孩必须接受义务教育，多受一些教育少受一些教育，是不一样的。教育有可能改变女孩的人生走向，即使改变不了她的人生走向，也会改变她的生命状态，提高生命的质量。

我让班里的学生给女孩写信，劝她回来上学。先是女生写，后来男生写。不久，女孩给全班同学回信了。她介绍了她在外地打工的情况，说她服务的那一家，电视机像窗子一样大，地板能照出人影儿，厨房里的家什银子一样明晃晃的；她问候班里的同学，向有过矛盾的同学道歉；有一段话写给我，让我不要生她的气，原谅她不辞而别。我给她回信，告诉她在外面应该注意的种种事项，要求她尽快回来上学。她回信说，她读着信，哭了。我给班长留了一个特殊的作业，让她每月至少给女孩写两封信。我想，只要联系不中断，她就有回来上学的可能。

从春天到夏天，班里学生和女孩书信不断。“六一”儿童节来临时，班长提议给女孩寄一张贺卡，表示节日祝贺。有手巧的学生，用旧杂志的封面制成一张贺卡，很漂亮。班长代表全班同学，在贺卡上写了一句话：祝你儿童节快乐，盼你早点回来。我又加了一句：你一定要回来！我在贺卡上签了名。全班同学都在贺卡上签了名。

女孩很快回信，说她收到贺卡，当着雇主的面就哭起来了。她说，她决定回家继续上学。本来雇主和她有约定，要她把孩子带到上幼儿园为止，若她中途离开，工钱就要减半。雇主看了贺卡和信，说等找到合适的人替下她，就让她回来上学，还说要多给她一些工钱，资助她上学。

有一天晚上，我正在家看书，院子里忽然喧闹起来。我听见有学生叫道：“老师，你看谁来了。”我开门一看，一群学生簇拥着那女孩，站在门外。女孩对我说：“老师，我回来了。”我说：“回来就好，你应该回来。”我很高兴，院子里的学生都笑吟吟的。女孩也笑着，眼里闪着泪花。

张白领的“负翁”生活

〇朱　辉

坐在西餐厅里，望着眼前的刀叉和餐具，张白领脑子里一片茫然。虽然自己好歹也是城市人，可是毕竟当白领不久，况且老爹老妈都是下岗职工，因此对西餐还是很陌生。左手拿叉、右手拿刀，似乎是这样的。还有一块方巾是干什么的呢？围在脖子上，还是放在膝盖上？这可有点犯难……张白领的第一次西餐就这样在紧张中吃完，不，熬完了。好在没几次，张白领对所有的程序就都很熟练了，吃西餐成了他白领生活的重要组成部分，就像上厕所一样自然。

“食”这一关过去了，为之付出的代价是，张白领不再像起初那样觉得自己的薪水有多高了，西餐厅的菜谱真是治疗骄傲自满的良方啊。可是张白领很快发现，与之相比，汽车更是催人奋进的催化剂。

张白领20多年的人生经历中，公共汽车绝对是一个留下了许多回忆的地方。可是这个熟悉的地方如今却越来越让他觉得尴尬了。这不，穿着那套3000多元的西服站在拥挤的车厢里，环顾四周那些市井味十足的乘客，张白领感到自己就像孔乙己，是穿着长衫却站着喝酒的可怜虫。那天正这样想着，忽然一个急刹车，旁边一个中年妇女正啃着的半个油饼突如其来地划过西服，钻进了张白领雪白的衬衣口袋里。望着西服上油腻的抛物线和白衬衣上油污绘出的“地图”，张白领忍无可忍，用在大学辩论比赛时练就的口才严厉批评那个不讲公共道德的妇女，然而伊并没有羞愧得无地自容，反而破口大骂，恶毒诽谤张白领的母亲是“性工作者”……可想而知，张白领在这次“辩论”中遭到了惨败，甚至衬衣也被撕了一条10厘米长的口子。下车时，战败的张白领就发誓要买小汽车，彻底与这些野蛮的“小市民”划清界限。

可是光买车也不行，停哪里呢？工厂宿舍区里停辆自行车都有人偷。张白领拿着汽车按揭协议不由得皱起了眉头。“咣当”，门被推开了，邻居王胖子穿着拖鞋大大咧咧地进来了：“他妈的！四毛你知不知道，拉登被抓起来了……”张白领的眉头皱得更紧了，谈笑有白丁、往来无鸿儒，这样的鬼地方怎么住得下去？得买房！

张白领终于过上了有房、有车的小资生活，在公司里他不再像以前那样桀骜不驯了，他时常在领导面前笑得十分谄媚，因为他知道自己不能丢了这份原本认为没多大意思的工作。早上他会在家里下点面凑合一餐，虽然为此要少睡半个小时……张白领的“负翁”生活就这样伴随着小资生活一起开始了。

是不是有病

〇秦德龙

老关看着周围的人，都像是有病。不是老人补钙，就是小孩补锌；不是男人补肾，就是女人补血。老关知道，这都是让广告给闹的。看了广告，心动变成了行动，就跑到医院和药店弄回来一大把药片。老关有些不大明白，究竟是人们的体质下降了，还是保护意识提高了。

相比之下，老关就不吃药，从来就不吃药。一天到晚，老关仰着一张娃娃脸，貌似活力四射的小青年。老关自己是这个状态，再看那些吃药的人，就不那么顺眼了。例如，那几个老油条，不是喝中药汤，就是吃大粒丸子，牙齿染得发黄。还有那些个小娘子，一天到晚，嘻嘻哈哈，把吃药片当成了吃糖果，也没见哪个调理成淑女。再就是那些小伙子，桌子上摆着补肾的药瓶子，可说话总是阴不阴阳不阳的。

老关看不惯那些吃药的人。老关认为，吃药的人多了，社会就容易出问题了。把吃药上升到社会的高度来认识，老关就不能不说两句了。有一天，老关对一圈儿人说：爱吃药，可不是个好事呀。

有人马上说：怎么，你是说我们干坏事了？还有人跟着说：我们是将坏事变成好事呢。说这些话的人都怪怪的，瞄老关的目光，也是怪怪的。又有个人说：老关，别以为你不吃药你就没病了。其实，你也有病，也需要吃药。

老关说：我有什么病？我能有什么病?！另一个人说：人家都吃药，就你不吃药，不是有病是什么？

听到这话，一圈儿人都笑翻了。

见老关迷瞪，有人就启发他：老关，你别用纯洁的目光看我们好不好？你想想，我们爱吃药，是不是有道理，我们是在对自己的身体进行微调呢。微调，你懂不懂？在生死之间进行微调。老关还是第一次听说“微调”这个说法。这是个很新鲜的说法。老关就产生了浓厚的兴趣。老关说：依你们的意见，每个人都需要微调？

有人接过话说：是呀，这是一门很深的学问呢。跑肚拉稀，是排毒；感冒发烧，是烧死癌细胞。所以，正常人，每年闹点小毛病，到老就不会出大毛病了。平时有点癌细胞，一发烧，就烧死了。听到这话，老关的脊梁骨冒出了冷汗。老关从来没有发过烧，一想到癌症，浑身的汗毛都竖起来了。有人看出来了老关的心思，马上就说：老关，你也去医院看看吧，拍拍心电图、脑电图，照照 X 光、做做 CT，查查血压、三脂……反正公费医疗，又不花你的钱。

老关觉得人家说的有道理。

老关就跑到了医院。按人家说的，把该查的项目都查了一遍。结果，很正常，不需要吃药。老关回来后，就把检查的结果和大家说了，很有几分自得的神态。

有人却给老关泼了一瓢冷水，说老关这个状态，就是一种病态，建议他去看心理医生，心病还需心药医嘛。老关想了想，真就去了心理诊所。

心理医生东拉西扯地和老关唠了半天。末了儿，心理医生说：关先生，不要对身边的人看不惯，你要学会用病人的眼光来审视他们。当然，也包括你自己在内。所有的人都是病号，都需要吃药。你懂吗？

老关似懂非懂地点了点头。

老关不再看不惯爱吃药的人了。他也弄些花花绿绿的药片来吃了，和周围的人打成了一片。不久，老关的头发就白了，背也驼了。周围的人都很喜欢老关，说这个老头儿真可爱，真慈祥。还有人说老关德高望重呢。

跳来跳去

○姜贻斌

我帮侄女在长沙找到了一个工作，谁知道她没做上三个月，忽然有一天对我说，她要走了。我惊讶地问她去哪里，我说找个工作也不是那么容易，可你说走就走了。她说她已经决定了，并说要去深圳。我知道她很固执，只有无可奈何地摇摇头。

侄女到深圳之后，很快来了电话，说是在一家电脑公司，收入也不错。于是，我便放了心，说那你就好好干吧。谁料不出半个月，她又来了电话，我问她现在怎么样，她却说她已经跳槽了。我说你在那里好好的，为什么要跳槽呢？她没有说什么，只说她感觉不好了，就要跳槽。我说你跳槽也不是什么坏事，问题是找一个合适的工作不容易，须考虑再三。

侄女却将我的话当成耳边风，不出两个月，又跳槽。我火了，说你怎么像一只“跳蚤”一样地跳来跳去。侄女还是那句话，感觉不好了就要跳。我于是苦口婆心地劝说，你叔叔我几十年如一日蹲在一个单位，真正是像一颗永不生锈的螺丝钉，哪里像你这样舞来舞去的？侄女就笑我，那你就做你的螺丝钉，我做我的“跳蚤”。

所以，我侄女这只“跳蚤”不停地在那个城市里跳来跳去，如同一个不辞辛苦的芭蕾舞演员。平时，她一般不来电话，她如果来了电话，就预示着这只“跳蚤”又跳了一个地方，因为她要告诉我们她新去公司的电话号码。

后来我才知道，侄女之所以屡屡跳槽，也不是为了什么大事，居然就是因为工资少了那么几十百把块钱。我一听，这又是何苦呢？不就是少打几回的士嘛。劝她，也不听，继续跳。

最近，她父母去了她那里，正碰上这只“跳蚤”又炒了老板的鱿鱼，暂时待在家里，每天陪着父母，连门槛也不迈出一步。她父母暗想这天远地远地来深圳一趟也不容易，你这个做女儿的尽管是一只“跳蚤”，那也要陪同父母去看看城市的大好风光吧？可是“跳蚤”总是不开口说这句话，好像这深圳没有什么看头，无非是车啊人啊房子啊。她父母便觉得这里面有问题，问她吧，她又说没有问题，像某些地方官员报喜不报忧一样，死死地瞒着存在的问题。

有一天，事情终于暴露了。一个女孩子来问“跳蚤”要2000块钱，跳蚤又七借八借，她的父母也凑了一点，才还了那债。门一关，她父母这时便像警察一样地问她这到底是怎么回事，你来深圳这么久了，家里也不曾要你的工资，你怎么还欠债？“跳蚤”头一低，只有如实招来。说是大学一个女同学（那个女同学我也晓得，“跳蚤”在上大学时就资助过她不少），现在北京读研究生，谈了男朋友，前不久来信向她借8000块钱，她以为“跳蚤”在深圳肯定赚了不少，8000块不是小菜一碟？其实呢，“跳蚤”并没有多少，存折上总共才6000块。再说她已经知道父母要来深圳视察，要吃要玩，也需要一点米米。可是，这只“跳蚤”权衡再三，决定还是支援北京的朋友。可是米米还不够，怎么办？“跳蚤”历来是一个重友情的人，宁愿自己没有，也要千方百计地支援朋友，于是，又向别人借了2000块，一并给朋友寄去。

她父母听罢，真是哭笑不得，这只“跳蚤”真是一只天下少有的“跳蚤”，她平时为了几十上百块钱可以不停地炒老板的鱿鱼，真够斤斤计较了；可是为了朋友，她宁愿倾其所有，分文不留，害得做父母的连外出视察的机会也没有，岂不是白来一趟？不过，父母也不忍心过分地指责她，临走时，还给了她一点钱。

朋友是应该支援的，不过也别忘了给自己留点儿伙食费。

祝你好运，“跳蚤”。

突然袭击

○傅昌尧

城里人喜欢当老板。

老板是个女的，开了家音乐茶坊，要找个打杂和看门的。女老板来到民工市场，转悠了三天，才看中一个乡下少年，他叫木伢。

女老板说："木伢你听着，白天你在茶坊的后屋干杂活儿，随叫随到，叫干啥就干啥，不许偷懒。"

木伢不敢看女老板的脸，低头应道："晓得。"

女老板说："你长得又凶又丑又土，可不许随便进前厅，免得让客人见了吓着，影响我的生意。"

木伢点头："晓得。"

女老板又说："晚上，客人走了，你就睡在前厅看门，关好门，不准出去，不准把你的老乡招来串门，发现一次，扣你半年工资。"

女老板说完了，木伢还低着头。女老板说："干活儿去吧！"

木伢抬头偷偷看了老板一眼，脚步犹豫了一下，女老板像是忽然想起来了，说："对了，工资每月300元，干一天算一天。"

木伢心里一热。他们全家在山里苦一年也挣不到300元。木伢心里快活极了，怎么拼命干活儿也不觉得累。老板心里也高兴，当月多发了木伢10元钱。木伢说你数错了。老板一笑，没错，奖金你懂不懂？木伢还是不懂，说好了，怎么多给10元？木伢往家里寄钱时，留下了10元，他怕老板啥时不高兴了，要回去，到时拿什么还她？

老板以前吃过乡下人的亏，当然也时时提防着木伢，因为乡下人开始都挺老实，时间一长，就跟着城里人学坏了。

几个月后的一天夜里，老板打烊关门后，故意走了一段又悄悄潜回茶坊，因为她发现木伢当天有些异常，像是有什么心事。老板要伏击木伢。

果然，老板老远就发现茶坊里的灯重新亮了，心里一惊，这么晚了，他不睡觉干啥？待靠近茶坊门口，听到了里面的音乐声。老板心里的火腾地蹿上脑门儿，正要踢门进去，忽听里面木伢在说话。老板将耳朵贴了上去。

木伢的声音："爹，娘，今天有人在我们这里过生日，可热闹了。我忽然记得，我也是今天生的。可这么多年，我从来就没见你们给我过生日。都是人，为啥城里人能过，我们就不能过？不都是从娘肚子里生出来的吗？开不起生日晚会，在天井里煮一锅汤面，把同村的伙伴们叫来一块儿吃，好喜庆啊！我来城里快半年了，可还不知道城里是啥样。老板走了，我就把同村的伙伴都叫来，帮咱过生日……"

老板听到里面搬动沙发的声音，木伢说："大头你坐这儿，水根你坐这儿，兰花、小米、水芹几个女的坐这边，高二秃远点，他一会儿就要捣乱……"老板在门外气得直咬牙："这个木伢！就差没把他们村子也搬到茶坊来了。"木伢又说："你们会跳舞吗？不会？咳，怎么进城半年了还不会跳舞？我早会了，兰花，我教你。不会跳的，就边喝饮料边看着我跳。这叫罐装啤酒，外国的。石头，你怎么连易拉罐都不会开？来，我教你，拽这个小圈圈，你瞧，'砰！'喝吧，喝吧，敞开肚皮装！"

老板心疼得浑身肉跳，她再也忍不下去了，掏出钥匙一拧，卷闸门愤怒地蹦起老高。"木伢，你现在就滚！"女老板还没进屋就吼道，"滚！"可她进屋后定睛一看，愣住了，朦胧的灯光下，当间儿就站着孤零零的木伢，四周围了一圈沙发，每个沙发上都放着客人扔下的空饮料罐。

木伢被老板的突然袭击吓傻了，半天才“扑通”一声跪下：“老板，我……晓得错了……饶了我这一回吧！”

女老板突然喉咙发硬，鼻子一酸，哽咽道：“木伢，我是……来给你过生日的……”